石塚 康彦

第二次大戦

壮大なチェス盤、錯誤の連続

ノモンハンから真珠湾

東京図書出版

はじめに

第二次大戦における、外交並びに、そのベースとなっていた政戦略、そしてそれを支えたインテリジェンスについて書こうと考えている。

この世界大戦をチェスに例えてみると、ヒトラーとスターリンという二人のプレイヤー（独裁者）による知力（道徳を無視した）の限りを尽くした戦いに始まり、それにルーズベルトとチャーチルがスターリンの側に与したことで、戦いの趨勢は決定的にスターリン有利になっていったと見ることが出来る。

このパワーゲームの中で日本は、ドイツの趨勢を「欧州新秩序の誕生」と穿き違えたことで、ドイツの側に与してしまう。何故、このような決定的なミスをおかしてしまったのか。日本がそこに至るまでの、政戦略とはどのようなものだったのか。インテリジェンスは機能していたのか。そして、戦争回避のシナリオは存在したのか。これらについて、日本国内の座標軸だけでなく世界史の視点からも見てゆきたい。

第二次大戦を振り返ると、日本だけでなく、日本以外の列強も錯誤の連続であったことが見て取れる。ヒトラーのマジックは一九四〇年で底をつく。米国外交も決してうまくなかった。東アジアの多くの国が米国の意図に反し共産化してしまったことが何よりの証しである。チャーチルも大英帝国を維持するという政治目的を達成できなかった。一九四五年の終戦時点でみれば、チェスの勝者はスターリンだったかもしれない。それも二千七百万人という未曾有の犠牲の上に達成された。

戦場は錯誤の連続である。特に敵情については非常に流動的であるため、常に更新の必要性と情報の不完全性がつきまとい、指揮官が充分な根拠と確信を以て意思決定することを妨げてきた。クラウゼヴィッツはこれを「戦場の霧」と呼んだ。外交においてもまったく同じことが言える。

「弱いウサギは耳が長い」という。現在、軍事大国ではない日本に必要なことは、如何に質の高い情報を収集・分析・評価して政戦略にフィードバックするかではないか。このことが戦争を回避し、戦争のリスクを最小化することに繋がるのである。

第二次大戦　壮大なチェス盤、錯誤の連続

ノモンハンから真珠湾

◇目次

プロローグ

この小説を第二次大戦が始まる一九三九年から書こうと考えている。それ以前の歴史との関連も重要となるので、ここで簡単に触れておきたい。
（あくまでも私の解釈であり、いわゆる定説と相異する部分があることについてはご容赦願いたい）

一九三三年という年は、第二次大戦勃発の伏線となる出来事が世界中で同時並行的に起こった年であった。

主役の一人であるヒトラーは、画家崩れの冴えない青年であったが、その類いまれな弁舌の才とカリスマ性を武器に瞬く間にドイツ人の心を捉え、一九三三年にドイツの首相の座を射止める。第二次大戦のもう一人の主役であるスターリンは、レーニン死後の権力闘争を勝ち抜き一九三三年には独裁者としての地位を固めてゆく。そして米国のルーズベルトが第三十二代大統領になった年が奇しくも一九三三年である。以降約十二年にわたり大統領を務め、終戦直前の一九四五年四月に死去するまで米国をリードしてゆく。尚、ルーズベルトは大統領になった一九三三年に、それまでの米国大統領が拒否し続けたソ連に対する公式承認を行う。そしてこの決定が第二次大戦のキャスティングボードであるソ連を連合国側に引き入れる大きな布石となってゆく。

そして日本においては、ヒトラーやスターリン、そしてルーズベルトにあたるビッグネームは見当たらない。逆の言い方をすれば「明確なリーダーが不在であったこと」、これが日本の大きな特徴であった。そしてリーダー不在の日本は一九三三年に国際連盟から脱退することによって、孤立の道を歩むことになる。

こうしてチェス盤の登場人物の多くが一九三三年に出揃う。ここから第二次大戦が始まる一九三九年までの六年間、彼らは世界大恐慌によってダメージを受けた国内経済の立て直しに四苦八苦する中で独自の道を歩んでゆく。

まず大きく動いたのはヒトラーである。彼が首相となった一九三三年当時、彼の政治基盤は非常に脆いものだった。彼が真の独裁者になるためには大胆で大きな政治的成果がなんとしても必要であった。彼が目を付けたのは、ベルサイユ条約の打破である。第一次大戦の後処理として生まれたベルサイユ条約は、国際協調時代の到来という面がある一方で、ドイツにとってはあまりにも過酷なものであった。フランス軍総司令官フォッシュ元帥はベルサイユ条約の条文を見て「これは平和などではない。たかだか二十年の停戦だ」と叫んだと言われている。ケインズは一九一九年ベルサイユ講和会議での英国代表に加わる。そしてドイツに課した多額の

「賠償金」に対し鋭い警告を発し、「欧州には再び戦争が起こるであろう」と批判している。

このケインズが問題としたドイツに対する賠償金の総額は千三百二十億金マルクに上った(これは当時のドイツの国内総生産の約三倍、国家予算の二十年分に当たる数値である)。最終的には大幅に減額されたとはいえドイツ人にとっては屈辱的な仕打ちであった。

そしてヒトラーは、ドイツから見て不条理とも言える「ベルサイユ条約」を次々に踏み倒してゆくことで国民と政府閣僚さらには「ボヘミアの伍長」とヒトラーを陰でバカにしていた国防軍の幹部たちを唸らせてゆく。具体的には、連合国によって行われた領土処分に対し、ウィルソンが提唱した「民族自決」を逆手に取ってドイツ人居住者が多数を占める地域の失地回復を行う。これらの所業に対して英仏をはじめとした欧州各国は黙るしかなかった。フランスも英国もヒトラーがやることはベルサイユ条約違反であることを知りながら、「あらゆる譲歩は戦争よりはましである」と宥和政策を採り続けたのである。内実はフランスも英国も第一次大戦での総力戦によるダメージがあまりにも大きく戦争に倦んでいたのだ。そしてヒトラーはこの欧州に浸透していた平和主義を徹底的に利用する。彼自身も「平和」を連呼しながら、ラインラントへの進駐(一九三六年)を皮切りに、オーストリア併合(一九三八年)、チェコ進駐(一九三九年)を戦争によるものではなく外交で実現させてゆく。「ヒトラーはベルサイユ条約の歪みを修正しているだけで、決して戦争を望んでいない」という欧州列強の錯誤があとでとんでもない災厄を招くことになる。

フランス人作家バンヴィルは「この（ベルサイユ）条約は苛酷な点があるにしてはあまりに手ぬるく、手ぬるい点があるにしては苛酷にすぎる」と言っている。チャーチルは、戦後、「これは必要のない戦争であった」、「われわれがもっと早く戦争の決意さえしていれば、容易に防げた戦争であった」と回顧している。尚、このチャーチルがチェス盤に登場するのは第二次大戦勃発後の一九四〇年になる。

一方、ヒトラーと独ソ戦で雌雄を決することになるスターリンの六年間は苦難の連続となる。そのきっかけとなったのが、一九三四年一月に行われた共産党大会である。この大会で代議士の投票によってソビエト共産党の中央委員が選ばれた。誰もがスターリンが一番に選ばれると思っていたが、彼の順位は十番目くらい、穏健派で民衆からの人気が高かったキーロフなどがスターリンを超える得票を得る。この事実に会場は震撼したと言われる。そしてこのことはスターリンの猜疑心に火をつけ、自分の権力を脅かす者を次々に粛清してゆく。この党大会で中央委員に選ばれた百三十九名のうち九十八名が一九三七年から一九三八年の間に逮捕、銃殺されたと言われている。スターリン統治時代のソ連は、およそ二千万人（諸説あり）が強制労働収容所、流刑地、監獄などに送り込まれる判決を受けたと伝えられている。この一連の粛清の中には多くの赤軍将校（赤いナポレオンといわれたトハチェフスキー元帥もドイツに対するスパイ容疑で処刑）も含まれており、特に顕著だった一九三七年〜一九三八年をロバート・コンクエストは「大テロルの時代」と呼ぶことになる。

スターリンは、一九三〇年代初頭に起こった大飢饉（人為的に起こしたものといわれる）そしてこの大粛清によるダメージから回復するまでの間、大規模な対外戦争を回避してきた。スターリンには立て直しのための時間稼ぎが必要だった。そしてパリ不戦条約に調印し（一九二九年）、一九三四年には国際連盟に加入する。更に慎重なスターリンは、一九三八年末までの間に計三十二回の不可侵条約に調印している。

そしてスターリンの対外膨張主義は、一九三九年九月、ドイツに続くポーランド侵攻以降、徐々にその姿を現してゆく。とくに米国はこのスターリンの絶妙な煙幕（カムフラージュ）に幻惑され、「スターリンは決してモンスターではない。話せばわかるやつだ」と誤った認識をヤルタまで引きずることになる。そしてこのスターリンに対する連合国側（特にルーズベルト政権）の錯誤が、大戦後の東西冷戦に繋がってゆく。

それでは唯一の超大国である米国の状況はどのようなものだったのか。

ルーズベルトが政権を取った一九三三年の米国の失業率は二十五％に達しており、喫緊の課題はこの経済の立て直しであった。ニューディール政策によって抜本的な改革を断行するが、一九三八年時点の失業率は十九％であり苦境からはまだまだ脱していなかった。一九二九年に起こった世界大恐慌の後遺症は大戦終結まで世界を揺るがしていた。そしてこの事態に対して、世界中の知識人の多くがその反動から共産主義に惹かれてゆく。この一時コントロール不能に陥った資本主義経済に対して、五カ年計画を順調に進めていたソ連のやり方の方が正しいのではないかと考えるようになった（五カ年計画はソ連の近代化に寄与したことは事実だが、飢餓輸出という農民の犠牲の上に成立したものであり、また実際の成果はかなり誇張された面もある）。このことは、資本主義に不信感をもった一部のエリートがコミンテルンなどを通してソ連に協力する事態に繋がってゆく。

そしてルーズベルト政権はもう一つ大きな課題を抱えていた。それはモンロー主義（孤立主義）と拡大を続けるドイツの地政学的な脅威との板挟みである。米国のアンケート調査では、実に八十％以上が参戦に反対していた。ルーズベルトは選挙で「ヨーロッパに再び米国の若者を送ることはない」と演説し大統領に当選する。一方で、次々と欧州を制圧していくドイツが、次第に米国にとっての大きな脅威となり、看過出来ない相手となっていた。そしてこのジレンマはドイツ軍による西欧征圧、対英戦勃発（バトル・オブ・ブリテン）によって次第に抜き差しならないものになってゆく。

風雲急を告げる欧州に対して、極東の日本はどのような状況だったのか。

日本の太平洋戦争に至る道が中国問題に起因していることに異論はないはずだ。起点となるのは、日露戦争の勝利で日本がロシアから引き継いだ満州の利権問題である。日本がロシアの南下を跳ね返すために払った莫大な犠牲（戦没者約九万人に加え当時の国家予算の約七倍にあたる約十八億円の戦費を投入、その内の約八億円は外国からの借金）に対し、賠償金も取れない中で得たなけなしの鉄道利権に日本は投資し育ててきた。一方、中国としても「清朝の一部である満州の主権は自分たちにあるのだから利権返還は当然の権利であり、置いて出て行け」という話になる。日本も経済的な面だけでなく、ロシア（ソ連）の復讐戦に備えるための緩衝地帯として譲れない事情もあった。

そしてこの対立が満州事変（一九三一年）へと繋がってゆくのである。これに対し当初英国は秘密裏に「満州を国際管理にして日本人顧問を入れる」という日本側にも配慮した妥協案を提案する。これには強気の全権松岡洋右も賛同するが、本国の内田康哉外相はこれを拒否し、結局日本は国際連盟を脱退することになる。

背景にあったのは、妥協を許さない国内世論の存在である。満州事変当時の日本経済はどん底だった（国民所得は一九二九年からの二年間でマイナス二十三％）。そして不況による失業の増大と政党政治に対する不信から国民は軍部を支持するようになる。また政府は、九カ国条約で満州の主権は中国にあることを日本も合意していたことを国民にキチンと説明していなかったことも問題であった。

ポイントオブノーリターン（後戻り不可地点）という言葉があるが、この段階では日本もまだ中国との妥協点は見出せた。蔣介石は「満州事変を起こして以降のことについては日本に六割の責任がある。しかし事変が起こされるまでの過程において中国にも四割の責任がある」と述べている通り、日中和平の糸口を模索することは可能であった。

問題はそれ以降の「中国一撃論」であった。日本は満州事変で一万の兵力で二十三万の中国軍に勝ってしまう。中国は一撃で屈伏出来るという錯誤によって、日中戦争は早期解決どころか長期持久戦となってゆく。

また中国との戦いが厄介なのは戦線の拡大がすべて日本のイニシアチブで行われたわけではないことである。ソ連からすれば日中が和解してしまうことは、中国全土に拡散した日本軍の一部が満州に移動することになりこれは歓迎できない。したがってソ連は当然、日中戦争を煽り和平に向かわせないように動く。蔣介石も戦線を拡大することで日本のロジスティクスを疲弊させ、更に英米を味方に引き入れるためのロビー活動を駆使してゆく。そして中国は、いつのまにか味方を増やし、一方の日本は、明確な戦略のないまま戦闘は泥沼化していった。

日本の近衛内閣は優柔不断が過ぎた。陸軍参謀本部の戦線不拡大の訴えにもかかわらず、海軍や陸軍強硬派と一緒に戦線を拡大してしまう。そして、いざ和平推進となったところで、オスカー・トラウトマン駐華ドイツ大使による和平工作も失敗に終わり、大詰めの一九三八年から一九三九年にかけての和平交渉では、「汪兆銘工作」（梅機関）と「蔣介石工作」（小野寺機関）がバッティングするなど、陸軍の中でも統一した動きが取れなかった。

一九三八年から一九四〇年、日本の蔣介石に対する和平提案は通算十二回行われたと言われるが、すべて失敗に終わってしまう（トラウトマン和平工作、小野寺工作など、失敗の原因の多くは日本側にあった。内外からの様々な妨害があったとしても、中国との戦争は日本側が譲歩して早期に収束させなければならなかった）。

この泥沼の日中戦争で日本は、百万の軍隊を投入し、十数万の戦死者が出た。そして数百億円の国費を使う。もし撤兵すれば、すべてが無駄だったことになり、国民の支持は完全に失われることになる。手ぶらで帰るわけにはいかなくなってしまったのである（一九四〇年には中国での戦争の費用は国家予算の約四十％を占めていた）。

そして犠牲者に背を向けて我々は間違っていたとは言えなくなる「死者への負債」を抱えた状態で、「中国から撤退しなければ石油は渡さない」という米国の経済制裁を受けることになる。

ノモンハン

ノモンハン事件とは、一九三九年五月に起こった満州とモンゴルの国境紛争のこと。両国の国境線はもともとあいまいな状態で断続的に小競り合いが続いており、一年前には張鼓峰でも大規模な紛争があったが、中でもノモンハン事件は最大規模の軍事衝突であり、多くの歴史家が東と西の戦争をつなげた第二次大戦の前哨戦と呼んでいるほどの極めて重要な戦いである。

紛争の発端は、満州とモンゴルであったが、満州国の背景には日本の関東軍があり、モンゴルはソ連と同盟を締結していたため、日本の関東軍とソ連との戦争に発展する。

ノモンハンの由来は、モンゴル草原に浮かぶノモンハーニーという塚の名称である。モンゴル側はこの塚を目印に国境線を主張していた。これに対し満州側（日本関東軍）は、その西方二十キロに流れるハルハ河を国境線と主張し始めたことで緊張が高まる。

一九三七年十一月、関東軍司令部に辻政信という少佐が赴任する。強気一辺倒、積極果敢な辻は関東軍の参謀本部を三十半ばの若さで引きずってゆく。

辻は、決して蛮勇だけの人物ではなかった、一九〇二年石川県生まれの辻は、陸軍幼年学校、陸軍士官学校を首席で卒業し、陸大は三位で恩賜の軍刀を拝受している。同時代の典型的なエリート参謀であった。この時の上司が服部卓四郎である。服部は、一九〇一年山形県生まれで、同じく陸大を優等で卒業している。辻が積極果敢なら服部は冷静緻密、外柔内剛で人望もあった。「智謀の服部に実行の辻」と互いを補い合う関係にあった。

そして、二人の出身地が石川と山形であるように、日本陸軍はこの頃、長州閥による支配を脱却していた。

「長州閥の陸軍が日本を太平洋戦争に引きずっていった」と言う人がいるが、実情は違う。

満州事変から十年遡る一九二一年、陸軍の将来を嘱望されていた三人、欧州出張中の岡村寧次、スイス公使館附武官永田鉄山、ロシア大使館附武官小畑敏四郎は、バーデンバーデンの密約で、陸軍における長州閥打倒を誓い合っていた。

彼らは、一夕会という若手の派閥グループをつくり、岡村を人事課長に据え徹底的に長州閥を潰し始め、その成果は満州事変以降、顕著に現れてくる。

筆者が調べたところ、一九三〇年以降陸軍大将になった五十五名の中で、山口県（長州）出身者はたった二名であるのに対し、服部や辻と同じ東北・北陸出身者は十五名（約三割）を数えていた。賊軍差別、東北差別という暗のルサンチマンを原動力に見事に長州閥の排斥に成功していたのだ。そして、長州閥にとって代わって出世の決め手となったのは、熾烈な受験競争に勝ち、士官学校や大学校で高い席次を獲得することであった。

開戦時の首相東條英機の父東條英教は、賊軍であった盛岡藩士（東北地方）の嫡男であった。息子の英機に対し「勉学に励んで薩長を見返せ」が口癖であったという。

因みにこのノモンハン事件当時の陸軍トップ（陸軍大臣）板垣征四郎も同じ東北地方、岩手県出身である。

付け加えると、陸軍とは違い海軍中央の首脳は確かに薩長出身が多かったことは事実である。海軍で三国同盟に反対した米内光政（盛岡出身）、山本五十六（長岡出身）、井上成美（仙台出身）、そして永野修身（土佐出身）、及川古志郎（新潟出身）以外は薩長出身者が多くを占めていた。特に、強硬派のドンといわれた末次信正と海軍の中で対米戦をけん引したといわれる石川信吾（軍務局第二課長）は、山口県出身である。薩長閥が残った海軍と排斥した陸軍が一枚岩になれなかったのは、当然のことだったのかもしれない。

話をもとに戻す。

「いちいち参謀本部（トップ）に許可を取っていたらソ連にやられてしまう」と、辻は主張し、独断で国境防衛のガイドライン「満ソ国境紛争処理要綱」を作成する。日本側が主張する国境線内に敵が入ってきたらこれを攻撃するといった内容であった。上司の服部卓四郎中佐がこれを承認し、植田謙吉関東軍司令官より示達される（一九三九年四月）。これに対し中央の参謀本部は、これら関東軍の動きについて否定も肯定もせずに曖昧な状況にしておいてしまう。参謀本部は日中戦争の対応で手いっぱいで、このノモンハンに対しては、「ソ連と全面戦争にならない範囲で、うまいことやってくれ」程度の関心しかなかった。

一方の関東軍は、「ここで一気にソ連を叩いて、国境紛争を解決してやろう」という強い意志とともに、何かしらの「功名」を立てたいという野心もあったかと思われる。

五月十二日、ハルハ河を越えた外蒙軍と満州国軍が軍事衝突する事態が発生する。ハイラルの第二十三師団長小笠原道太郎中将は、処理要綱の示達により部隊を出動させ外蒙軍を一時撃退したが、ソ連軍が外蒙軍に加わり反撃する。そして準備不足のソ連軍はハルハ河まで後退する。以降、両軍がハルハ河を挟んで睨み合う事態が続くことになる（第一次ノモンハン事件）。

ノモンハンで関東軍がソ連・モンゴル軍と戦闘状態に入ったことは、いち早く参謀本部に伝えられ、参謀本部は大騒ぎとなり、賛否両論が入り乱れた。

「関東軍からの報告では、空中戦は圧勝したそうだ。ソ連軍はハルハ河まで後退した。関東軍の連中は、勝った、勝ったと大騒ぎしているがどうするべきか」

「今、中国との戦争で大忙しのところに、ソ連との全面戦争など出来るわけがない。今回の戦闘はやり過ぎだ。すぐに止めるべきだ」

「いや、被害状況を見ると、思ったより小規模だし大騒ぎする問題ではないだろう。それに関東軍の主張する国境線まで敵を後退させたのだから、上出来だろう」

参謀本部内では意見が分かれ、紛糾する。

議論の末、最終的には、日中戦争との両面作戦は避けるべきとの意見が主流となり、戦闘不拡大の方針を関東軍に示すことになった。この指示に対し、服部、辻を中心とした関東軍の参謀たちは不満を持った。

第一次ノモンハンでは既に三百名近くの死傷者が出ている。これを無駄死ににするわけにはいかない。次は徹底的な勝利をソ連軍から勝ち取り、日本の主張する国境線を確定してしまえば本部も認めざるを得ないだろうと考えるようになる。出先機関の独断と暴走は満州事変以来、日本軍の宿痾になっていた。

一方のソ連である。

歴史家のロバート・コンクエストが「大テロル」と名付けた一九三七年〜一九三八年はスターリンによる粛清の真っ只中にあった。一九三七年には「赤いナポレオン」といわれた参謀総長トハチェフスキー元帥たち赤軍幹部が粛清された。そして、五人の元帥のうち三人、十五人の軍司令官のうち十三人、百九十五人の師団長のうち百十人、将校五千人が、国家反逆罪で銃殺されている。

一九三九年になって大分落ち着いたとはいえ、ゲオルギー・ジューコフにとっては、緊張の連続が続いていた。
そこに「ハルハ河へ行け」との命令が舞い込んでくる。粛清を切り抜けたジューコフは、喜び勇んで出発する。

モスクワのマネージュ広場に面した国立歴史博物館の前に、ジューコフ将軍の騎馬像が建っている（一九九五年建立）。ジューコフは、独ソ戦「大祖国戦争」を勝利に導いたロシアの英雄として今でも高い評価を受けている。

ソ連が崩壊し、共産主義イデオロギーの価値が失われた時に、レーニンに代わる国民統合のシンボルとなった人物がジューコフであった。
その彼が頭角を現すきっかけとなったのが、このノモンハンでの戦いである。

ジューコフは一八九六年モスクワ近郊のカルーガ県に生まれる。彼のキャリアは毛皮職人から始まったが、第一次大戦に志願して数々の武功を上げる。そして軍人として順当に出世し、ノモンハンのころには将来を嘱望される存在となっていた。
ジューコフは五月二十四日に国防人民委員（国防相）ヴォロシーロフから命令を受けて間もなく、タムツァク・ブラクの第五十七軍団司令部に着任する。日本軍と交戦した現地部隊の失策を調査するのが最初の仕事だった。そして五月三十日に「極めて不適切な戦闘」の報告をヴォロシーロフに提出する。ソ連側の動きは迅速であった。第五十七特別軍を率いて日本軍と戦ったフェクレンコを解任して、六月十二日にはジューコフを第五十七軍団司令官に任命する。

ジューコフが最初に行ったのは、軍規を引き締めることであった。

ジューコフは、臆病な態度を見せていた兵士二人を銃殺刑とし、見せしめに全軍に伝えることまでやっている。徹底したマキャベリズム（恐怖による支配）である。

そのころ東京では、ゾルゲ（暗号名ラムゼー）に対しスターリンからの指令が入る。

「日本の動向を探れ」

リヒャルト・ゾルゲ。言わずと知れたソ連のスパイ。彼は謎多き人物として評価は分かれていたが（ドイツ、ソ連の二重スパイだったという説もある）、死後一九六四年にソ連はゾルゲに「ソ連邦英雄」の称号を与える。「独ソ戦でソ連に勝利をもたらした英雄」として、現在ロシアでも高い評価を受けている。

ゾルゲは、ドイツ人の父とロシア人の母の間に九人兄弟の末っ子としてウクライナのバクーに生まれた（一八九五年）。三歳の時にベルリンに移住しギムナジウムに通うが、在学中に第一次大戦が勃発し卒業を待たずにドイツ陸軍に志願する。三度負傷し入院中にマルクスの理論に惹かれる。そして一九二四年にドイツ共産党に入党後、コミンテルンに招かれモスクワに行き世界共産主義革命の実現を目指すようになる。そして一九二九年に軍事諜報部門である労農赤軍参謀本部第四局員となったゾルゲは中国に赴任し、そこで大阪朝日新聞社の尾崎秀実と知り合う。

中国専門として評価の高かった尾崎は、共産主義によるアジアの解放を目指しており、ゾルゲと意気投合する。そして一九三二年に日本帰国後、「ゾルゲ諜報団」の一員としてスパイ活動に協力するようになってゆく。

対中国政策に関しては、『朝日新聞』などで論陣を張り、対中強硬論を主張し、蔣介石との和平工作に反対する。尾崎は、盧溝橋事件勃発後の一九三七年九月、「南京政府論」（中央公論）の中で、「蔣介石国民党は半植民地的・半封建的シナの支配層、国民ブルジョワ政権軍閥政治である」と断定していた。もちろん背景には尾崎が夢見ていた「中国における共産化の推進」があった。

一九三三年九月、日本に渡ったゾルゲは、ドイツ人ジャーナリストという肩書で麻布に居を構える。ソ連に対する日本の政策動向を探るのがゾルゲに与えられた使命であった。彼はカムフラージュのためナチ党員となり、ドイツ大使館に近づく。そして駐在武官のオイゲン・オットー（後に駐日大使）から絶大な信頼を得て秘書のように扱われるようになる。オットーはゾルゲの情報を重宝し、それに見合う報酬を与えていた。

日独の多彩な人脈から入手した情報は、モスクワに対し「ラムゼー報告」として赤軍諜報局長を経由しスターリンやモロトフ外相に届けられていた。ゾルゲは、ハンブルク大学で国家学の博士号を取得するほどの学識者であり、その分析能力と日本に対する理解は、あの司馬遼太郎も舌を巻くほどのものであったという。彼は、日本人のものの考え方を理解するために、徹底的に日本の歴史を研究している。それは政治や経済の領域に留まらず、古代史、古事記や源氏物語を含む文化史の領域まで掘り下げていた。そして、彼は日本の政治・経済、そして外交問題を正確に分析できるようになっていた。一方で諜報組織の構築にも力を注ぎ、尾崎のほかに、アバス通信社の特派員であるユーゴスラビア人ヴーケリッチ、ドイツ人無線技士のマックス・クラウゼン、カリフォルニアからやってきた画家で米国共産党の宮城与徳など、日本人協力者を含め数十名が諜報団に加わる（その後の一斉検挙によって諜報機関員として刑が確定したのは十七名である。内訳は外国人四名、日本人十三名）。

スターリンが恐れていたのは、ドイツそして日本との両面戦争である。一九三〇年代前半の欧州はヒトラーが政権についたばかりの状態で比較的平穏であった。ヒトラーが本格的に再軍備に着手するのは一九三五年である。一方極東では、一九三一年の満州事変以降、日本と国境を挟むことになる。ソ連にとって極東が次の火種となる可能性が出てきたことで、日本に本格的な諜報団を作る必要があったのである。

ゾルゲは、早速メンバーに対しノモンハンに関する情報収集を指示する。

ゾルゲがまとめた情報は、暗号に置き換えられ日本からウラジオストック経由でモスクワに送られる。そして六月初旬には、ゾルゲの極秘情報はスターリンに伝えられた。

「日本の軍事力は抜本的な増強と改革を必要としている。この再編には、一年半から二年かかると考えられる。」

またゾルゲは日本人に対しては、「日本人は、これまで大きな打撃を受けたことがないので思いあがっている。彼らには、断固とした態度で臨む必要がある」と報告している。

一年前の張鼓峰事件以来、日本に対しては、下手に妥協せずに強硬な姿勢を示せば、譲歩するという見方がソ連側にもともとあった。

スターリンは今こそ徹底的に日本軍を叩いておくべきだ、と判断する。

そして彼は、極東に送れるありったけの戦車、装甲車、大砲をシベリア鉄道で送るように指示を出した。

モスクワの日本大使館附武官である土居明夫大佐はシベリア鉄道で帰国の途についていた。そして、シベリア鉄道の車窓から大量の戦車、砲塔などがシベリア方面へ行くのを目撃する。

彼は、夜も寝ずに、すれ違う汽車と追い越す汽車を見た。そして一つの結論を導き出していた。非常に大きな大砲八十門を中心に戦車、機械化部隊二個師団がシベリア方面、つまり満州との国境に送られている。そして、近々にソ連軍の大反攻が行われるはずだ。関東軍はこの事態を想定していない。これは大変なことになると彼は考え、至急関東軍の司令部がある新京に寄った。

六月中旬、土居は新京（満洲国の首都、吉林省長春市）に赴き、植田軍司令官、磯谷参謀長、服部作戦班長、辻参謀など関東軍首脳が集まる会議に出席する。

「私は、この目でモスクワ方面から大量の兵器が東に移動して行くのを見た。あれだけの機械化部隊がノモンハンに投入されたら、現在の関東軍の戦力ではとても太刀打ちできない。五月のノモンハンでは相手の準備不足で勝てたが、ソ連が次の大攻勢に出たら、こんなものでは済まされないぞ。ことの重大さをお前らは理解しているのか」

「関東軍が全力をあげて準備するならばよい。そして、それでも戦力が足りないから、戦車とか飛行機とか送って欲しい、というのであれば東京に報告し正式な支援を得るべきだ。これは単なる国境紛争とはわけが違うぞ。それだけの決意があってやっているのか」

土居は、更に意を決して、「日本から増兵の見込みがなければ、兵を引いて妥協するべきだ」と怒りをぶつけた。

辻は、部外者であるモスクワ武官から横やりを入れられたことで、全身怒りに震えていた。

会議の後、土居を別室に呼んで、「会議で余計なことは言わないで下さい。今日のような弱音を吐くようでは、青年将校は土居さんを殺すとまで言っている。何しろ我々はソ連の戦車をもってきて戦勝祝賀観兵式をやろうと計画しているのだ。これ以上、邪魔立てしてもらっては困る」と脅しをかけてきた。辻は、土居の情報は作戦に混乱を招くと強く警告し、東京での報告を止めさせようとした。しかし、土居は負けていない。

「辻！　お前何を言っているか分かっているのか。戦勝祝賀観兵式だと、馬鹿も休み休み言え。ソ連の一個師団は日本の何倍もの火力をもっていることを知らんのか。今の関東軍だけでは勝てない。ソ連を舐めてかかったら大変なことになるぞ」しかし、新京では、辻に反対し表立って自重論を唱える者はいなかった。

慎重論や消極的な意見は、積極果敢な熱弁の前では分が悪い。特に軍人は、古今洋の東西を問わずそのような傾向にある。「臆病」と言われることは全人格を否定されるに等しいのである。その空気を破るだけの胆力のある冷静な司令官か軍師の存在が組織に平衡感覚を与えるのであるが、このノモンハンでは、上司の服部は、辻の意見を理路整然と補完し賛同してしまう。そして軍司令官である植田も三十近い齢の差があるにもかかわらず、引きずられてしまっていた。

土居が直接、自らの目で確認しているナマの情報こそ、冷静な判断を促す呼び水であるはずであったが、そうはならなかった。

土居は辻の脅しには屈せず、東京の参謀本部で再度報告する。しかし本部の空気は対中国に集中しソ連を軽視しており、真面目にとり合ってもらえる状況になかった。要となる参謀本部稲田作戦課長は楽観論に終始していた。「ソ連は関東軍と戦う余裕はないはずだ。西には、何をしでかすか分からないヒトラー率いるドイツという敵がいる。スターリンは、それに対する準備で手一杯なはずである。東の満州に手を出して両面戦争のリスクを取るような馬鹿なことをするはずはない」

結局、土居の貴重な情報は参謀本部の中枢からも無視される。

自分たちが進めている作戦上、ソ連が大攻勢に出てこられてはまずいのである。

こうした「情報の軽視」「作戦の情報に対する優位」は、第二次大戦を通して日本軍の宿痾となってゆく。

六月末、関東軍はハイラル基地から爆撃機を飛ばして越境爆撃を行うという挙に出る。主導したのは、またもや辻少佐であった。本来は国境を越える場合、参謀本部を通じて天皇の裁可が必要であったが、辻は参謀本部に諮らず爆撃を主張する。これに対し磯谷参謀長は、「東京の参謀本部と事前協議が必要であり、単独行動は出来ない」と主張するが、辻は断固として譲らなかった。植田にとって辻はもと部下であり能力は分かっている。辻の熱弁におされ、結局司令官の植田は越境爆撃を承認し、関東軍の独断で進めることになる。

そしてタムスクへの爆撃は成功に終わる（計百七機を投入し、百四十九機を撃墜破する。たいして未帰還四機という大戦果だった）。

辻の上司である関東軍高級参謀の寺田高級参謀は、同期である東京の稲田作戦課長に「大戦果だぞ」と電話報告する。これに対し稲田の反応は手厳しかった。

「馬鹿もん、戦果がなんだ。お前ら関東軍は何をしでかしたか分かっているのか」

「張鼓峰の時に大騒ぎとなって、今後は独断で動くなとあれだけやかましく言っていたのに、なんたることをやったのだ。ソ連から報復があったらどうするつもりだ。今、ソ連軍とことを構える余裕などないことは分かっているだろう！」

この関東軍の独断行動は、参謀本部でも問題となり、最後は昭和天皇の怒りに触れる。一年前の張鼓峰事件の際に、陸軍に対しきっぱりと、今後は天皇の裁可なくしては、一兵も動かすことはならん、と厳命されていたにもかかわらず、またこの事態である。

稲田は戦後、以下のように回想している。

「(陛下は) 国境を越えて奥地を爆撃したというのでとても腹を立てられた。参謀次長がいって叱られたのだがね。誰が責任を取るのだという話になった。今作戦をやっておりますから。作戦が一段落したら責任を取らせますから」

そして、天皇陛下が植田軍司令官の処分を示唆する異例の事態になった。しかし稲田は「問題を起こした張本人は辻であり、彼を現場から排除するべきだ」と主張し根回しに動くが、上司たちは辻を庇ってしまう。特に人事権を持つ板垣陸軍大臣は、辻のもと上司であり、懐刀として彼の能力を買っていた。逆に「何とかしてやれ」と懇願する有様であった。泣いて馬謖を断る（規律を保つため、個人的な思い入れは捨てて、違反者をきちんと処罰することのたとえ）ことが出来なかったのである。

日本側が越境問題でバタバタしている中、ソ連軍は八月の大攻勢に向け着々と準備を進めていた。

ポイントとなるのは、兵站の確保である。シベリア鉄道の起点となるボルジアからノモンハンまでは何と七百五十キロに上り、ここに兵站線を確保するのは容易なことではなかった。そこでソ連軍は、中間地点までの四百キロ、更にそこからタムスクまでの三百五十キロをトラック五千台を使ってピストン輸送する。そして約八万トンの物資（砲弾、銃弾、燃料、食料等）の輸送に成功するのである。これによって兵力五万七千人、砲弾一・八万トン、戦車・装甲車約九百輛、航空機五百機がノモンハン近郊に集結する。

更に、ソ連は総攻撃開始までの間、攻勢の準備を日本軍に気付かれないように様々な隠蔽工作を行っていた。

陽動作戦を断続的に繰り返し、総攻撃のタイミングを悟られないようにしていたのである。

また日本側も、ソ連の無線傍受に成功しており、軍情報部からソ連軍が補強している情報はあったが、シベリア鉄道からノモンハンまでの兵站線の長さと悪路から、まさかここまでの大幅補強は絶対に不可能と想定していた。思い込みが強かった分、このような隠蔽工作に容易に引っ掛かってしまったのだ。そして、ソ連軍の一斉攻撃に関東軍は完全に不意をつかれてしまう（この時期天候が悪く日本軍偵察機の索敵が上手くいかなかったこともソ連に味方していた）。

八月二十日（日曜日）早朝、ソ連の総攻撃が始まる。

ソ連軍が日曜日を選んだのは、日本軍の士官が攻撃を予期せず休暇を取っているだろうと考えたからだ。

陽動作戦で日本軍を揺さぶっていたソ連軍は、午前六時十五分、一斉砲撃を開始してきた。空からは、日本軍を圧倒する爆撃機と戦闘機が奇襲攻撃を行い、陸上においては、戦車と装甲車が、日本軍の歩兵を圧倒していた。早くもソ連は、二十七日にモンゴル領ハルハ河一帯の日本軍をせん滅したと勝利宣言している。しかし、日本軍も必死の抵抗を続けていた。

ソ蒙軍は、日本軍に対して、歩兵が一・五倍、砲兵が二倍、飛行機は約五倍、戦車・装甲車は、ソ連八百台に対し日本はゼロである。この戦力差で奇襲攻撃をかけてきたのである。

日本側の証言の多くは、想定していた戦力を遥かに超えるソ連軍の姿に圧倒された、というものであった。特に「戦車を見たとき、これは勝てない」と感じたという。日本はソ連軍を舐めてかかっていたのだ。

最激戦地といわれたフイ高地では、ソ連軍約六千名、戦車二百輛、装甲車百二十三輛に対し、日本の井置捜索隊は僅か八百名の兵力と敵に対し圧倒的に劣る火砲で対抗し、三日間にわたり奇跡的にくい止めていた。敵の戦車部隊に対し、夜襲、銃剣突撃と火炎瓶で闘ったのである。ジューコフは途中で司令官の交代と予備部隊の追加をかけなければならないほど苦戦していた。しかし約半数の兵を失い、食料・弾薬も尽きた井置栄一は、二十四日に独断での撤退命令を出す（井置は勇戦力闘したにもかかわらず、その後撤退の責任を取らされ自決を強要される）。

このノモンハンも生煮え状態のまま終結することになる。関東軍は、反撃体制の再構築を検討していたが、そこに東京から「待った」がかかったのである。事態は急遽、停戦協議に移行することになる。

背景には、日独伊防共協定でドイツとはソ連を仮想敵国に同盟を組んでいたにもかかわらず、そのドイツがこともあろうにソ連と同盟（不可侵条約）を結ぶというのである。この事態に、日本政府、参謀本部は慌てふためいていた。

独ソ不可侵条約締結の話に移る前に、ノモンハン事件について一度、総括しておこう。政治的な意図を達成したかどうかで勝敗を判定するならば、最終的に日本の主張する国境線の外に追いやられ決着したのであるから日本の負けと考えるのが妥当である。

ノモンハン停戦後には、参謀本部と関東軍の幹部らは責任を問われ予備役に編入され、トップの植田は司令官から解任される。関東軍作戦課を取り仕切っていた辻少佐と上司の主任参謀・服部中佐も左遷される（辻は第十一軍漢口司令部付、服部は教育総監部付に異動）。この人事異動は、当時の日本は負けと受け止めていたことの何よりの証しと言える。

しかし特筆すべきは、辻と服部に対し左遷は一時的なものであり、彼らはこの後も順当に出世して、二年後には、再び中央（参謀本部作戦課）に返り咲くことである。

特に辻は既述したように毀誉褒貶の激しい人であった。才気煥発であり、彼の立案する軍事作戦については一部で高い評価を得ており「作戦の神様」と呼ぶ者までいた。一方で、独善的な越権行為を繰り返し、部下に対し責任を押し付けるような面もあったが、そんな辻をもと上司である板垣陸軍大臣や植田司令官などは可愛がり「辻を潰してはならない」と庇ってしまう。

このような情実人事は陸軍のみならず海軍も含め日本軍の至る所に表出していた。社会学者の小室直樹氏は日本的組織の特徴について非常に興味深い指摘をしているので紹介しておきたい。

「軍は、戦争を機能的要請とする機能集団です。ドイツでもアメリカでも、どこでもそうなのですが、欧米諸国では機能集団にすぎません。ところが日本だと、機能集団たる軍隊が、同時に共同体になってしまう」「共同体の特徴は、ウチとソトとの峻別です。人間関係（とくに規範）は、内のものが絶対的に重視され、最優先され、外のものは畢竟、どうでもいいくらいのものになってしまう」（小室直樹／日下公人『太平洋戦争、こうすれば勝てた』〈講談社、一九九五年〉より）、小室氏の分析は正鵠を得ている。日本全体のことよりも陸軍の人間関係が優先されたのである。そして、日本では、陸軍と海軍が別個の共同体であり、互いに反目しあっていたから更に厄介であった。

この機能集団の共同体化は、現在の日本（企業、官僚等）にも影を落としている。平時では問題ない組織が、緊急事態において危機管理上の問題を起こすのである。

一方のソ連では、ノモンハンの勝利はソ連内外に喧伝される。そしてジューコフ自身もこのノモンハンでの戦勝を評価され、その翌年に大将に昇格する。日露戦争の屈辱をはらした英雄として、その後の独ソ戦をけん引してゆくことになる。

日本にとってこのノモンハンの敗戦は、日本の大陸戦略の重要ポイントであった北進論、南進論に一定の決着をつけることになる。近代的なソ連軍に手を焼いた日本は北進よりも南進に傾いてゆく。

しかしこのノモンハン事件には驚くべき後日談がある。ノモンハンは戦闘においても日本がソ連の機械化部隊に圧倒的に負けたと言われていた。筆者が学生時代であった一九八〇年代にはそう聞かされていた。

しかしながら、ソ連崩壊後の機密文書の公開によって明らかになった事実としては、ソ連側の死傷者の方が日本より多かったことが判明している。日本軍の死傷者約二万人に対してソ連は約二万五千人、飛行機、戦車もソ連の損害の方が大きかったのである。

事件直後、日本軍はソ連軍の損害を比較的正確に二万人前後だと捉えていたのに対し、ソ連（タス通信）は千三百名と報道し、ジューコフは報告書で約九千名と記載していた。ソ連はタス通信などを通じてソ連の圧勝を喧伝したが、事実を隠していたことになる。ソ連側のプロパガンダと日本側の思い違いによって自ら惨敗したと位置付けてしまったのである。辻少佐を含めた一部の将校は「負けてない」と主張していたが、「負け惜しみを言うな」と、取り合ってもらえなかったのである。錯誤にしてはあまりにもお粗末であった。

実はノモンハンの一年前に起こった張鼓峰事件（同じく国境紛争）も同じで、機密文書の公開でソ連側が約三倍の損失を出したことが分かっている。逆に言えば、ソ連の近代化された機械化軍団に対し、日本軍は時代遅れの旧式装備にもかかわらず勇戦力闘したということになる。

恐るべき、はスターリンである。日本に対する圧勝を内外に喧伝し、東の脅威である日本の関心を南に向けることに成功したのである。

ジューコフはモスクワに凱旋後、スターリンに初めて謁見した時、日本軍についての感想を求められた。「われわれとハルハ河で戦った日本兵はよく訓練されている。とくに接近戦闘でそうです」「彼らは戦闘に規律をもち、真剣で頑強、特に防御戦に強いと思います。若い指揮官たちは極めてよく訓練され、狂信的な頑強さで戦います。若い指揮官は決まったように捕虜として降参せず、『腹切り』をちゅうちょしません。士官たちは、とくに古参、高級将校は訓練が弱く、積極性がなくて紋切型の行動しかできないようです。日本軍の技術については、私は遅れていると思います。」（『ジューコフ元帥回想録』）

また、ジューコフは戦後のインタビューでも「もっとも苦しい戦いはハルハ河だった」と答えたとの証言もある。

実際、投入兵力に対するソ連軍の損失率は三十四・六％の高い水準に達していた。

ノモンハン以降、近代化されたソ連軍は日本軍のトラウマとなる。

辻自身は、ソ連軍に脅威を感じたと同時に、「戦争は負けたと思った方が負け」と、兵器、兵站の劣勢は、精神力でカバーしなければならないと考えるようになる。本来、精神力とは、兵員数や装備が拮抗して初めて決め手となるものである。

そして、彼はノモンハンから二年後に参謀本部に栄転し、太平洋戦争ではマレー、フィリピン、ガダルカナルでの作戦を指導してゆく。

名著として名高い、『失敗の本質』（戸部良一／寺本義也／鎌田伸一／杉之尾孝生／村井友秀／野中郁次郎、中公文庫、一九九一年）にはこう書かれている。

「日本軍は、個々の戦闘結果を客観的に評価し、それらを次の戦闘への知識として蓄積することが苦手であった」

「情報軽視」「精神力重視」「情実人事」「越権行為」「下剋上」など、ノモンハンではその後の日本の敗戦を暗示する様々な問題が表出していたが、振り返ることも修正することもほとんどなかった。

一方、日本軍兵士の奮闘は、ソ連に「日本軍を決して侮ってはいけない」との印象を強めた。六年後、ソ連は終戦の間際に、ヤルタの密約に基づき対日参戦するがその準備期間に三カ月必要と判断した。以下はあくまでも私見であるが、もしこの時の奮闘がなければもっと早くに侵攻してきたかもしれない。侵攻が一カ月早かったなら、北海道の一部も危なかった可能性もあった。

ヒトラーとスターリン

ノモンハンの壮絶な戦いに急遽ストップがかかった。ソ連が主張する国境線に、日本軍は押し戻され、戦いの形成はソ連有利であるにもかかわらず、ソ連側（モロトフ外相）から停戦を言い出した。西で大きな動きが発生したからである。独ソ不可侵条約の締結とポーランド侵攻である。ドイツは日本、イタリアと仮想敵国をソ連とする日独伊防共協定を締結しておきながら、裏でスターリンと野合していたのである。

ヒトラーとスターリン、第二次大戦はこの二人のモンスターにかき回されたと言ってもよい。極論を言えば、独ソ以外の戦いはすべて、独ソ戦の従属関数に過ぎないとも思えてくる。日本の戦争指導者とは役者が違い過ぎた（偉大という意味ではない）。

そして、この二人には共通点も多い。

ヒトラーは、一八八九年にオーストリアのザルツブルクから北へ六十キロに位置するブラウナウに生まれ、スターリンは、一八七八年グルジアのゴリに生まれる。実は、スターリンの本名は、イオセブ・ベサリオニス・ゼ・ジュガシヴィリ（グルジア語名）であり、スターリンという呼び方は「鋼鉄の人」を意味する筆名である。

オーストリアもグルジアも中央ではなく外地である。ヒトラーはミュンヘン一揆（ヒトラーらナチ党などの州右派勢力によって結成されたドイツ闘争連盟が起こしたクーデター未遂事件）のあと禁錮五年の判決を受けランツベルク要塞刑務所に入っている。スターリンもレーニンの裏方として現金強奪などを行い、逮捕七回、流刑五回を経験している。二人とも風采は上がらず、無類の読書好きであり、特に歴史に対する造詣が深い点も似ている。この外地出身、読書好きな点はナポレオン（コルシカ島生まれ）にも通じる。

両者ともインテリ嫌いで、権威にひれ伏すこともない徹底したマキャベリストであった。大きな違いは、ヒトラーは初動期にライバルの突撃隊長エルンスト・レームを銃殺する以外、仲間を粛清することとほとんどなかった。しかし本人に対する暗殺計画は単独犯、組織的なものを含めて四十二回企てられている。一方、スターリンは粛清による恐怖政治を行った。その冷酷さは「逮捕した者のなかに本物の敵が五％含まれていれば大成功ということであろう」とまで徹底しており、あのヒトラーでさえ「スターリンは病気なのだ」と語っていたといわれる。

ヒトラーは短兵急であり、戦争勃発後は場当たり的な対応が目立つようになるが、スターリンは何事に対しても猜疑心が強く慎重であり徹底したリアリストだった。

スターリンは、ヒトラーが敗残の国民をひとつにまとめ、またたく間に強国に育て上げたことを評価し、すばらしい天才であると語っていた。しかし彼の欠陥は、どこで止まるかということを知らないことだと指摘し、自分（スターリン）は、どこで止まるかをいつでも心掛けているると語っていた。

ビスマルクは得るべきものを得たあとは、平和路線へと転換して最後までブレなかった。ヒトラーにはビスマルクの自制心はなかったということだ。

二人の勝敗を分けたのはこの点かもしれない。

そして、日本人の中には、ヒトラーやスターリンと対等に渡り合えた人物はいなかった。彼らにとって日本などは、国益のための駒でしかなかった。

先の話になるが、日ソ中立条約締結の二カ月後にドイツは事前の通知もなく独ソ戦を開始する。この不義理を繰り返すドイツに対し、近衛文麿首相は三国同盟を破棄するチャンスであると主張するが、東條陸相は「ドイツとの仁義に反する」と反対する。反対するにしても国益を掛けた戦いであるにもかかわらず、ヒトラー相手に仁義はないのではないか。

終戦直前の和平工作では、何を間違ったかソ連の仲介に望みを繋いでしまった上、鈴木貫太郎首相は「スターリン首相の人格は、西郷南洲に似たものがあるようだ」と江戸城の引き渡しをイメージしてしまう。

健気というか、当時の日本人の外交音痴に対しては苦笑せざるを得ない。

スターリンは「条約は破るためにある」と言っている。ヒトラーの感覚も似たようなものである。彼らとの交渉に武士道的価値観を持ち込んだことが間違いであった。

当初、世界はこの二人のモンスター同士を相打ちにすればよいと考えていた者も多かった。ヒトラーは自著『我が闘争』（第一巻は一九二五年、第二巻は一九二六年に出版）の中で、東方に生存圏を獲得するという野望を記述している。東方（ソ連）にある穀倉地帯、石油などの資源、森林資源はドイツ第三帝国を維持するために必要なものだった。

つまり彼のマニフェストには独ソ戦のプログラムは含まれていた。一方、スターリンのソ連はヒトラーが忌み嫌う「共産主義国家」である。何れこの二人はそのイデオロギーの違いから雌雄を決する時が来る。調和はあり得ない。従って、世界はこの二人の戦いを傍観し、疲弊したあとに手を差し伸べればよい。ドイツを共産主義ソ連の防波堤に利用するべきだ。孤立主義者のフーバー元大統領や、英国のチェンバレン首相はそのように考えていた。

手玉に取られた日本

関東軍がノモンハンでソ連軍と戦闘していた同じ時期に、日本では、ドイツとの熾烈な外交交渉が行われていた。

ドイツは既存の日独伊防共協定を対ソではなく英仏に対する軍事同盟にしたいと考えていた。一九三六年に締結された防共協定は、第七回コミンテルン世界大会で攻撃目標を日本、ドイツに向けていたため、ソ連を仮想敵国として結ばれたものであった。ドイツはこれを対ソではなく対英仏に変更しようと持ち掛けてきたのである。

背景には何があったのだろうか。

丁度ノモンハンで戦端が開かれた同じ時期に、ヒトラーは国防軍首脳部にポーランド攻撃の決意を伝えていた。そのためには英仏の介入を止めることが課題だった。

ヒトラーには、英仏を牽制出来る相手が必要だった。そこで目を付けたのが、強い海軍力で東南アジアの英仏の植民地（英国＝インド、ビルマ、マレー、仏＝ベトナム）を牽制出来る日本であった。更にソ連ともし戦争になっても両面作戦としての役割も期待できる。このヒトラーの提案に対し、中国を支援する英仏に手を焼き、南進を視野に入れていた陸軍が賛同した。

これに真っ向から異を唱えたのが、海軍トリオ（海軍大臣・米内光政、海軍次官・山本五十六、軍務局長・井上成美）である。英国と戦争が起こった場合、米国が出てくる。英米とは戦争出来ない。戦争どころか海軍にとって欠かせない石油や鉄鋼を米国に依存している以上、敵対関係になること事体あり得ない、というのが彼らの譲れぬ主張であった。天皇の考えも同じであった。当時の首相は、平沼騏一郎である。この三国同盟問題を巡り、五相会議（総理大臣、外務大臣、大蔵大臣、海軍大臣、陸軍大臣）を実に七十回以上行ったが決着は付かなかった。

この煮え切らない日本にヒトラーは業を煮やす。欧州ではソ連が英仏と交渉を進めており、ヒトラーは英仏ソ同盟が結実することを非常に恐れていた。一九三九年五月（独ソ不可侵の三カ月前）には、イギリスのチェンバレン首相は、「近くソ連と完全な合意に達しえる可能性がある」と発表していた。ヒトラーはこの報道に焦りを覚えた。英仏がソ連と組めば、ドイツは挟み撃ちにあってしまう。これはヒトラーが最も恐れていた事態である。

一方のスターリンも焦っていた。英仏と組めば、いよいよ日独が結束を固め東西からの両面作戦に対応しなくてはならなくなる。ソ連の軍備増強にはあと数年の準備期間が必要だった。

更には共産主義嫌いのチェンバレンが最後にどう出るかも確信が持てなかった。スターリンは、ミュンヘン会談におけるチェンバレンのやり方に不信感を持っていた（ミュンヘン会議でチェンバレンは当事国であるチェコスロバキアとその同盟国であるソ連を入れず、英国、ドイツ、イタリア、フランスの四国でズデーテン地方のドイツ割譲を決めてしまったことがスターリンの不信感の背景にあった）。

チェンバレンの本音は、共産主義のソ連よりもナチスの方に親和的であり、英国がこの段になっても、密かにヒトラーとの妥協を模索していることも知っていた。そして、スターリンは、表向きは英仏との交渉を行いながら、ドイツに対する門も閉じていなかったのである。二股をかけて相手を徹底的にじらし、ぎりぎりまで決着させず、最大の譲歩を引き出す。これがスターリンのやり方だった。

しばらくの間、両者の間に神経戦が続いた。それは、チェスの名人が時折見せる長考に似ていた。待つほどに果実は大きくなるが、ご破算になるリスクも上がる。

先に音を上げたのがヒトラーだった。

日本を当てにすることは出来ないと判断したヒトラーは、ソ連との交渉を本格化してゆく。既に、ポーランドへの侵攻を決めていたヒトラーにとって、ソ連との不可侵条約締結の遅れは命取りになるからである。ポーランドは秋には雨期に入り道路は泥沼化するため、軍事作戦に支障をきたすことが背景にあった。七月末、ヒトラーは、リッベントロップ外相に「もう待てない。スターリンと二週間以内に協定を結ぶように」要求した。

同じころ、ソ連には、英仏交渉団がモスクワ入りし、八月十二日に第一回軍事交渉会議が始まっていた。しかし、ソ連側の期待に反し彼らの動きは緩慢で、使節団には即決の権限が与えられておらず、交渉に覇気がなく時間ばかり掛かっていた。英仏が提供できると主張する兵力も期待外れであった。

もともと英仏に対する不信感があった上に、この対応である。

スターリンは業を煮やし、英仏ではなくドイツとの交渉に力点をおくようになる。

ドイツもソ連も両面作戦を避けたいという点で同じ悩みを抱えていた。ドイツにおいて東にはソ連があり、西にはフランスをはじめとした西欧がある。ソ連は、東に満州（日本）があり、西にはドイツが存在する。従って、この独ソが不可侵条約を締結すれば、ドイツは西欧に集中できる。ソ連も東欧に集中できる。両者の思惑は合致していた。

時間がないヒトラーは、英仏を出し抜いて、不可侵条約に対するスターリンの決意を確実なものとするために、スターリン宛に私信を送るという奥の手を繰り出していた。スターリン殿から始まる、求愛の手紙である。発信は八月二十日、手紙には、八月二十二日か、遅くとも二十三日には、ドイツの外相リッベントロップとの引見を哀願していた。ヒトラーは、外交的常識もプライドもかなぐり捨てるところまで追いつめられていたのだ。

これを受け取ったスターリンは、ヒトラーとの駆け引きに勝利したことに、満面の笑みを浮かべていたに違いない。ドイツがお願いする立場になったということは、ソ連側が交渉上のイニシアチブを取ることが出来るということである。

そして、スターリンからヒトラーへの返信には、「両国国民は相互の平和的関係を必要としており、不可侵条約締結に同意する」と結論だけ簡潔に書かれていた。

二十一日、スターリンからの回答を受け取ったヒトラーは感極まり、「ついに私は全世界を手中にしたぞ」と拳固で壁を叩きながら叫んだという話まで残されている。

独ソ不可侵条約締結は、予定通り、リッベントロップ外相がモスクワに出張し、直接スターリン、モロトフと会談することで最終決着している。

この条約は、表面的には相互不可侵および中立義務のみであったが、同時に恐るべき秘密議定書が隠されていた。独ソによるポーランド分割と、東ヨーロッパとフィンランドの領土に対する独ソの勢力圏拡大である。それは「山賊の山分け」に似ているかもしれない。

調印の直前になって、バルト三国に対する帰属のみ齟齬がみられた。ヒトラーは、エストニアとラトビアの一部はソ連で問題ないが、リトアニアはドイツ側であると要求したが、スターリンは、不凍港であるラトビアのリバウ（現リエパヤ）、ウィンダウ（現ヴェンツピールス）は絶対譲れないと主張する。早速、リッベントロップがヒトラーと電信を交わし、スターリンの意向を伝え「了解」の回答を得たことで全てが解決された。ヒトラー即決の報告を受けたスターリンは、感極まり全身に震えが走ったかに見えたと記録されている。

バルト三国（リトアニア、ラトビア、エストニア）の命運は、残念ながら、独裁大国の織りなす地政学ゲームの駒でしかなかったのだ。

独ソ不可侵条約が正式に調印されたのは、ハルハ河でのソ連軍による総攻撃三日後の八月二十三日午前二時過ぎであった。その夜はクレムリンでスターリンを囲み、パーティーが開かれた。

ソ連のモロトフ外相とドイツのリッベントロップ外相は乾杯を重ねた。両国ともに、上手く英国を出し抜いたことに喜色満面であった。

そしてスターリンは、事も無げに「(ヒトラー)総統閣下の健康を祝して、乾杯」と叫んでいた。祝杯はあちこちで上げられ、リッベントロップは、自分が大役を果たしたことに安堵してか、顔を紅潮させ調子に乗り、英国をこきおろしていた。一方、主役の一人であるスターリンは、賓客を酔わせ余計な一言をしゃべらせていた。そして、自分のグラスにはウォッカやワインではなく水が注がれていた。スターリンは、宴席で酒に酔うような政治家ではなかった。

思えば第一次大戦後、「新しい欧州」を再構築する場において、ドイツとロシア(ソ連)はいつも除け者にされてきた。ベルサイユ条約で出来た新しい国境に対する恨みを両国は共有していた。大戦後、西欧は両国を争わせようとするが、一九二二年に独ソはラッパロ協定を組み便宜的な友好関係(経済的、軍事的協力関係)を構築してゆく。しかし、一九三〇年代に入り、ドイツはヒトラー、ソ連はスターリンの時代となり両国の関係は一変する。スターリンは、ヒトラーの『我が闘争』（ドイツ人が生きるために必要な生存圏として、東ヨーロッパ、そしてロシアにおける新しい領土の獲得が論じられていた）の翻訳版を熟読し、ヒトラーとは最終的に雌雄を決しなければならない相手であることを理解していた。一方でヒトラーもソ連のコミンテルンの攻撃目標の一つにドイツが挙げられていることに警戒心を解くことはなかった。この不可侵条約は、「不信の条約」であり、暫定的なものでしかないことを両者は十分に理解していた。

そして、後述することになるが、この不可侵条約も最後はバルカン半島を巡る争いが引き金となって独ソは対立してゆくことになるのであった。

そのころ日本では、独ソ不可侵条約調印の二日前に、事前情報がリッベントロップから大島浩大使に入っていた。

リッベントロップは、大島に対して、日本がドイツからの三国同盟提案に半年も返事をよこさなかったから、他の道を探らなければならなかった、と言い訳に終始する。

大島は「ドイツの行動は防共協定違反である。厳重に抗議したい」と怒りをあらわにした。ことあろうに、ソ連が相手とは何事か。反ソを目的に締結したはずの防共協定はいったい何だったのか。

そして、日本の大本営も大変な騒ぎとなった。

独ソ不可侵条約の発表に大慌てであった。

「ドイツが裏切った」

「何で事前協議がなかったのだ」

想定外の事態に、参謀本部の秀才たちは怒り慌てふためいた。

この条約で、ヒトラーは日本との連携を破ったことになった。

防共で同盟を結び、反ソ連勢力として次のステップである軍事同盟を模索していた矢先に、こともあろうに、何の事前協議もないまま、ソ連との同盟に転換したドイツのやり方に驚き呆れた。そして、八月二十八日「欧州の天地は複雑怪奇」という声明とともに平沼内閣は崩壊したのである。

半藤一利氏の『ノモンハンの夏』(文藝春秋、一九九八年)には、興味深い話が出てくる。それはノモンハン事件勃発の少し前、四月二十日のヒトラーの五十回目の誕生日のことだった(以下、筆者要約)。


その祝宴がベルリンで行われたさい、駐ドイツ日本大使大島浩と駐イタリア日本大使白鳥敏夫が列席、略……外相リッベントロップがひそかに、おどろくべきことを二人に語ったというのである。「もし三国同盟条約交渉があまり手間どるようなら、ドイツはソ連との不可侵条約を考慮しなければならなくなるかもしれません」

腰をぬかさんばかりにびっくりした二人は、リッベントロップの言葉をどう受けとめるかについて、夜があけるまで議論した。白鳥が「ほんとうにドイツはソ連と結ぶつもりだ、日本は置いてきぼりにされる」といえば、大島が「いや、そんなバカげたことはありえない。あれはリッベンのおどかしであり、催促なのだ」と反撃し、口角泡をとばしてやりあったという。もちろん、このことも東京へ報告された……略……ドイツは日本と防共協定を結んでいるではないか。それが常識的な見方というもので、だれもがその常識を超えようとはしなかった。独ソ不可侵条約などが結ばれるはずはない、それが結論である。

大島は、日独伊防共協定締結時の交渉力が評価され一九三八年に武官から大使に昇格したばかりだったが、この事態に責任を取らされ日本に戻されることになる。

（三国同盟問題は一九四〇年ドイツの西欧征圧後に再燃し、その年の九月に締結される。そして大島はその年の十二月に、ドイツ大使として返り咲くことになる）

中西輝政氏（政治学者、歴史学者）は、日本外交について三つの欠点を挙げている（『父が子に教える昭和史』〈文春新書、二〇〇三年〉より）。

①情報力の不足、②歴史的視野の狭さ、③情緒的な国策決定

情報力には、情報の収集力と分析力があると思われるが、日本に欠落していたのはこの分析力の方ではないか。

今回の独ソ不可侵条約の締結についても、リッベントロップ外相から既述したように事前に仄めかされていた。これに加え、一般情報からも独ソ接近の兆候は現れていた。一九三九年四月あたりからヒトラーの演説から恒例のソ連批判がなくなっていた（ヒトラーは宣伝相ゲッペルスに対しソ連攻撃のプロパガンダを一時中止させていた）。そしてソ連側でも五月にユダヤ人であり西欧との連合推進派のリトヴィノフ外相が突然解任されモロトフに代わっていた。

日本は、情報に対する感度が鈍かったのだ。そして組織的な分析力が欠如していたのである。

首相が「欧洲の天地は複雑怪奇」ではまずいのである。

地図から消えたポーランド

一九三九年三月、ヒトラーはベルサイユ条約で非武装の国際自由都市となった旧ドイツ領ダンツィヒのドイツへの返還を承認するよう、ポーランド政府に求めた。ダンツィヒ国民の九十五％はドイツ人であり、またこの地はドイツ本土と分断され浮島状態になっていた。従って、失地回復を訴えてきたヒトラーにとっては当然の流れであった。しかし、第一次大戦後に独立を回復したポーランドも、同地の領有権を主張しており、提案を蹴ってしまう。面子を潰されたヒトラーは、四月に、ポーランドとの不可侵条約を破棄し、国防軍に対しポーランド侵攻作戦の検討を命じていた。

そして、既述したように、ソ連との不可侵条約を締結し、ポーランド領土の分割併合をソ連と密約する。ヒトラーはこの不可侵条約によって、ソ連と英仏による両面作戦を回避させていた。

一九三九年九月一日、ドイツ軍は宣戦布告なしに、北方軍集団、中央軍集団、南方軍集団と三方向から総勢百五十万の兵力でポーランドに侵攻した。

今回は、それまでのヒトラーの戦争を伴わない版図拡大とは状況が違っていた。英国はポーランドの独立が危うくなれば、ポーランドを支援することを発表していた。これにより、ドイツがもしポーランドに侵攻した場合、英仏が軍事介入する可能性がこれまでにも増して高くなっていた。

しかしヒトラーは強気だった。ドイツは英仏との戦争は回避できると考えていた。「ラインラントの時もチェコでも英仏は軍を出さなかった。ポーランドでも宥和政策を採るだろう」、英国は口先だけで、フランスは第一次大戦で多くの若者が死んでおり、これ以上の出生率の低下は受け入れがたいはずだ。

ヒトラーはこの考えを、英仏参戦を恐れるドイツ軍首脳に対し力説していた。リッベントロップ外相も同じように英仏は介入することはないと考え、ヒトラーに自分の考えを伝えていた。「英国が立つことはない」という外相の助言は、ヒトラーの読みを確信に変えていた。

しかし……。

ドイツがポーランドに侵攻した九月一日の二日後、駐独英国大使が最後通牒をリッベントロップに手渡した。「十一時半までにポーランドから撤退しなければ戦争状態に入る」、英国もこれ以上、ヒトラーに足元を見られたくはなかったのだ。二日の英国下院では怒号が飛び交い、チェンバレンもドイツに最後通告を出さざるを得なくなっていたのだ。

フランスのダラディエ首相の方は、イタリアのムッソリーニの仲介による「第二のミュンヘン会談」を画策していたが、最終的には、英国が誓約を守ったことで、やむなく宣戦する。当てが外れたリッベントロップは、ヒトラーから怒気を含んだ声で「さて、お前はこれから、どうするつもりだ」と詰め寄られ、ひたすら首を垂れるしかなかった。

ヒトラーの本音は、アングロサクソン（英米）とは戦争はしたくなかったのである。彼はアングロサクソンに対しては同じ北方人種として敬意を表していた。今回もブラフで切り抜けられると見ていた。そして、英国は今回も宥和政策を継続するに違いないと考えていたのである。

ヒトラーにとって、英仏両国の宣戦布告は想定外の事態であった。

しかし、ポーランドに対する英仏からの救援作戦は行われなかった。

フランスはドイツ国境に大規模な陸軍部隊を展開し、ワルシャワでは英仏参戦を歓迎するデモが開かれていたが、ドイツを攻撃することはなかった。

英仏は、第一次大戦のダメージが大きく戦争に倦んでいた。国民の間では平和主義が浸透しており、世論は避戦であった。

フランス・ドイツ国境では、英仏とドイツがただ睨み合っているだけで戦闘が生じない「フォウニー・ウォー」まやかし戦争と呼ばれる戦闘休止状態が一九四〇年五月のフランス侵攻作戦まで続くことになる。

ドイツ陸軍は、主力をポーランド方面に進撃させたため、西部国境の兵力は脆弱であった。もしこの時に、英仏軍が一挙に攻勢に出ればドイツはひとたまりもなかったのである。既述した通り、ドイツ国防軍幹部の中には「英仏軍の介入によって負ける」と反対していた者もいた。またもやヒトラーの読みは的中する。そしてヒトラーに諫言出来る将軍はどんどんいなくなってゆくのである。

ドイツ軍は、千五百機の航空機と二千四百台の戦車で、ポーランド軍に付け入る隙を与えず、圧倒してゆく。

一方のポーランドも百万以上の軍隊を投入したが、動員が遅れ、実際には、その半分ほどしか事前配置することが出来なかった。更に、近代化されたドイツ軍に対し、伝統的な槍騎兵が主役であり戦車や飛行機の装備が不十分であったため戦争遂行能力に圧倒的な差が生じていた。ポーランドの兵力はドイツと大差はなかったが、軍備予算はドイツの三十分の一に過ぎなかったのである。

ドイツ軍の行軍スピードは驚異的であり、戦闘二週間後の九月十三日には、首都ワルシャワの包囲を完了していた。

一方のスターリンは、英仏のドイツに対する宣戦布告の報告を受け、満面の笑みを浮かべていたと言われている。ドイツとは、いずれ雌雄を決する時が来る。それまでに英仏と戦って戦力を削がれてくれればよい、そう考えていたに違いない。スターリンの戦い方は、ぎりぎりの段階まで敵同士を戦わせて消耗させ「漁夫の利」を得ることであった。

また、スターリンは、ソ連サイドからのポーランド侵攻の前に、もう一つの懸案事項をかたづける必要があった。ノモンハンの停戦交渉である。慎重なスターリンは日本から背後を突かれることがない状態にしてから、次の一手を打ちたかったのである。

東郷茂徳駐ソ大使は、ソ連から停戦交渉を仕掛けてくることをひたすら待っていた。ドイツがポーランドに侵攻したことで、ソ連は極東の国境紛争どころではない状態にあり、早く収束させたいはずだ。先に動けば交渉は不利になる。向こうから仕掛けてくるまで待つことが得策であるが、交渉時期が延びればノモンハンでの犠牲者が増えるかもしれない。

予想通り、ソ連外相代理ロゾフスキーが「停戦のための交渉に入りたい」と申し出てきた。停戦交渉は、九月九日よりクレムリンで行われた。ソ連側はモロトフ外相である。彼は、一歩間違えれば確実に死の淵に立たされるソ連・スターリンという抑圧の中で生き抜いてきた人物である。一筋縄ではいかない交渉相手であった。

そのモロトフは焦っていた。早く交渉を終結させ、ヨーロッパの山積する課題に集中しなければならない。ドイツが秘密協定で合意した停戦ラインで留まるかも気になっていた。そして、同じクレムリンで仕事をするスターリンからの猛烈なプレッシャーを背中に感じていた。

一方の東郷は、戦争継続を主張する強気の関東軍を参謀本部が抑え込んだことで現地の戦闘はほぼ停止していたため、焦燥にかられずに済んだ。

焦点は、国境線をどうするかであった。モロトフは、勝者の立場からソ連、モンゴルの主張する国境線の無条件承認を譲らない。一方の東郷は日ソ両軍が対峙する現状線を主張し、一歩も引かない。立場的にはモロトフ有利なはずであったが、あまり時間を掛けるわけにもいかなかった。最後は根負けして東郷案におれたのである。関心が既にポーランドに向いていたスターリンの承諾もすぐに取ることが出来た。合意は十六日の午前三時だった。

スターリンのお気に入りで、ヒトラーに対しても気後れしなかったと言われるモロトフとがっぷり四つで交渉する東郷の力量を、モロトフ自身も評価していた。

翌日の九月十七日、ソ連はポーランドに対し、不可侵条約を一方的に破棄する。そして、「ポーランドの国境侵犯と領内の白ロシアとウクライナ人市民の保護」を名目に宣戦布告を行い、四十七万の兵力を擁してポーランド東部国境地帯に侵攻する。スターリンは、軍事行動の正当性をプラウダ、イズベスチヤ、タス通信を通じて全世界に喧伝することも忘れてはいなかった。

スターリンは、ノモンハン交渉の成立で両面作戦を回避した上、十七日ならばドイツの攻撃と協調した行動として見られることも回避できると考えていた。赤軍投入のタイミングを間違えば、最悪は英仏そしてゆくゆくは米国を敵に回すことになるリスクもある。更に、狡猾なスターリンは、ポーランドとの戦いで戦闘の多くをドイツに任せ、自分は被害を最小にして領土の分け前を頂くことも念頭に入れていた。

最終的には、ドイツとの戦争は避けられない。ドイツがポーランドとの戦いで飛行機を百機失えば、それはソ連が百機増産したのと同じ意味を持つ。スターリンは、そういう計算をする政治家であった。

ポーランド軍はドイツ軍、そしてソ連軍に対し勇戦力闘するが、一カ月で降伏してしまう。ポーランドは英仏の支援を期待していたが、結局誰も助けに来なかったのである。

ポーランドはドイツ、ソ連によって分割された。

その後、ソ連はバルト三国（ラトビア、エストニア、リトアニア）に対し、軍事基地の設置とソビエト軍駐留を含む相互援助条約の締結を行う。

実は、ヒトラーはポーランド侵攻の後、秘密議定書ではドイツに帰属していたはずのリトアニアをスターリンに譲っている。勘のいいスターリンは、このヒトラーの気前の良さは、戦争をしてあとで取り戻せばよいとの考えに基づくことを察していたはずだ。

そして、一九四〇年七月にソ連は三国で強制的に国民投票を行い、国民同意という名目でソ連邦の中の共和国に加盟させてしまった。この選挙は住民の一割から三割しか投票していないにもかかわらず、支持率はほぼ百%であったと公表された。三国は長い間ロシアの領土であったが、ロシア革命、ロシア内戦を経て念願の独立を果たしたばかりであったにもかかわらず、僅か二十二年後には再びソ連に飲み込まれてしまったのである。

一方、大統領選挙を控えていた米国のルーズベルト大統領は、参戦反対の世論に配慮し中立を宣言、「参戦しない」ことを国民にあらためて約束することを忘れてはいなかった。ポーランド侵攻は、米国民にとっては、まだまだ対岸の火事でしかなかったのである。

冬戦争

ソ連はバルト三国に続き、フィンランドに対し国境線の変更や軍事基地設置とソビエト軍駐留を含む要求を行った。

フィンランドはソ連との国境線が長く防備を強化していたため、ソ連としては安全保障地帯が必要だ、というのである。フィンランドの地政学的な悲劇はソ連との国境が長いだけでなく、ソ連第二の都市である古都レニングラードはフィンランドから僅か三十二キロしか離れていなかったことである。ソ連としては、将来ドイツとの戦いとなった時に、ドイツはポーランド平原ならびに、フィンランドを根拠地としてレニングラードとモスクワを攻撃してくる可能性が高いと考えていた。従って、スターリンとしてはフィンランドが国防の要の一つになると捉えていた。

一方、フィンランド側はソ連の要求には応じず、両国間の交渉は決裂した。

フィンランドとしては、何世紀にもわたってスウェーデンやロシアの支配を受けてきた過酷な歴史があり、一九一七年にやっとの思いで達成した独立を手放すわけにはいかなかったのだ。

ソ連は一九三九年十一月三十日、フィンランドに侵攻した。この侵略行為に対して国際社会から非難を浴びたソ連は、十二月十四日に国際連盟から追放される。スターリンの版図拡大は目に見えてエスカレートしてゆく。スターリンは、国連から追放されようが強気だった。フィンランド軍二十五万に対し百万の軍隊を投入する。大方の見方としては、ソ連が圧倒し即座にフィンランドが和平を求めてくるだろうと予測した。しかし、フィンランド軍など一週間でかたづけると豪語していたソ連軍は、マンネルヘイム元帥の粘り強い抵抗の前に非常な苦戦を強いられる（この奮闘はのちに「雪中の奇跡」と呼ばれる）。頑強に抵抗するフィンランドに対し、世界各国から武器の供与、義勇軍を派遣する動きも出たほどであった。

自ら国を守るという強い意志を示して初めて、他国からの協力が得られるのである。そして、フランスや英国も、今度はフィンランド側に立って介入する準備を始めていたが、ノルウェーとスウェーデンが軍隊の通過を拒否したために計画は実現しなかった。このことがフィンランドの講和するきっかけとなる。

慎重なスターリンは、ヒトラーと違いギャンブルはしない。この時も武力を再投入すれば勝利は可能だったにもかかわらず、講和を選択したのである。しかし、この冬戦争は、戦闘としてはソ連軍の大敗北であったことを内外に印象付けてしまった。

そしてフィンランドは多くの犠牲を出しながらも独立を守ったのである。一九四〇年三月、ソ連・フィンランドの間に講和条約が締結される。

講和内容については、フィンランド第二の都市であるヴィープリを含む国土の十%、工業生産の二十%が集中する地域をソ連に譲り渡すという苛酷な条件であったが、戦死者数の方は、ソビエトの約十二万七千人に対し、フィンランドは約二万五千人であった。

因みに、マンネルヘイム元帥は、フィンランド軍の最高司令官としてフィンランド内戦（白衛軍の司令官として左派赤衛軍を陥落させる）、そしてこの冬戦争、更には継続戦争（独ソ戦勃発後に失地回復のための対ソ戦）、ラップランド戦争（対独戦）を指揮したフィンランドの英雄である。最近のアンケートでは、「フィンランド史上もっとも偉大な人物百人のランキング」で一位となっている。


一方のソ連側は、緒戦の惨敗について、スターリンは、その責任を国防人民委員（国防相）であるヴォロシーロフに向け怒りを爆発させていた。しかし、スターリンのおべっか使い、子飼いといわれたヴォロシーロフも内輪の宴会の席では、さすがに逆切れを起こし、「あなたが優秀な将軍たちを全滅（粛清）させたからではないか」と怒鳴り返していた。宴席とはいえスターリンに歯向かうなど異例のことであった（のちにヴォロシーロフは国防委員会副議長に降格される。彼は、スターリンによって粛清されることもなく一九六九年に八十八歳の天寿を全うする。スターリンに盾突きながら殺されなかった極めて珍しい例といわれる）。

スターリンにすれば、赤軍劣化の原因は、大粛清にあることは本人も当然承知していた。問題は、ヒトラーがソ連に牙を向ける前に、如何に迅速に赤軍を立て直すかであり、その時間を稼ぐためには、当分の間、ドイツとの友好関係を糊塗するしかないことを肝に銘じていた。そして更に、その協力関係もドイツと連合国との戦争に巻き込まれないように、出来るだけ目立たないように最大限の注意を払っていた。

二人の独裁者にとって同盟とは利用価値がある間の「束の間の友好」であり、ヒトラーにとってもまだまだ利用価値があると捉えていた。何故ならば、彼の次の目標は西へ向いていたからである。それまでは東でことを起こすわけにはいかなかったのだ。同盟の賞味期限は切れていなかった。

またヒトラーにとって、ソビエト軍の大苦戦は、驚きの事態であった。

赤軍粛清のダメージは想像以上である、ソ連軍などはたいしたことはない、ドイツの優秀な将軍と近代装備をもってすれば必ず勝てると考えるようになったと言われている。

ヒトラーは国防軍司令長官カイテル大将に「ソ連軍が近代化するには、あと二十年はかかるだろう」と呟いた。

この時点でヒトラーは二つ致命的な錯誤（読み違い）をしていたのである。

一つは、予想に反し英国が宣戦布告したこと。以降、何度も英国に対し和平の呼びかけをしたが応じることはなく、敵にしたくなかったアングロサクソンを完全に敵に回してしまったこと。

もう一つはソ連軍に対する過小評価（ソ連に勝てると考えたこと）である。

スカンジナビア半島

ドイツに宣戦布告し交戦状態に入った英国は、ナチスを屈伏させるためには、戦争を継続するために必要な重要物資の供給路を断つことが最も効果的であると判断する。最初に目を付けたのが石油である。そしてソ連コーカサス地方のバクー油田の爆撃を検討するが、この計画は、後に首相となったチャーチルによって「現実的ではない」と、放棄される。ヒトラーは、英仏が重要物資の供給を遮断する動きに出てくることを察知し、スウェーデン鉄鉱石の輸出港であるノルウェー北部の港、ナルヴィクを押さえることが急務であると考えるようになる。戦争経済における重要資源の一つである鉄鉱石の輸入の大半をドイツは中立国スウェーデンに依存しており、ドイツ戦争経済にとってのアキレス腱となっていた。

ヒトラーは最初、スウェーデンに直接侵攻することを考えたが、空軍元帥でありヒトラーの盟友であったゲーリングが反対する。彼にとって、スウェーデンは先妻カリンや義理の息子トマスの故国であり、スウェーデン国王であるグスタフ五世に中立の維持を約束していた。そして、ヒトラーに対しては、「すでにスウェーデン政府は鉄鉱石をドイツに輸出し続けることを約束しており、侵攻は無意味である。スウェーデン侵攻だけは止めてほしい。もし止めて頂けないなら辞職させてほしい」と表明し、ヒトラーを説得していた。
ドイツのノルウェー占領作戦（コードネーム：ヴェーゼル演習作戦）はこのような背景によって実行に移された。一九四〇年四月九日、ドイツ軍はノルウェー、更にはスカンジナビア半島の足場に位置するデンマークに同時侵攻する。

一方、連合国側も同じような動きを取っていた。チェンバレン首相のもと海軍大臣だったチャーチルは、先にノルウェーのナルヴィク港を押さえ、ドイツ戦争経済の息の根を止めようと軍事行動に出る。チャーチルの動きは素早く、三月二十八日にはノルウェー領海内への機雷敷設（ウィルフレッド作戦）を実施することを決めていた。そして、四月八日には、素早く機雷敷設を開始している。このことは、英国が最初にノルウェーの中立をおかしたことになるが、チャーチルは意に介さなかった。

最初にドイツの軍門に下ったのはデンマークであった。デンマークという半島国家はドイツとスカンジナビア半島の間に位置するため、ドイツにとって地政学的に重要な国である。国王のクリスチャン十世は、保有する一万人程度の兵力では、とてもドイツ軍には敵わないと判断し、戦闘開始六時間後、政治的独立の保持を条件に降伏する。

一方、ノルウェーは、ヒトラーが要求した保護占領を拒否した後、国王ホーコン七世とその政府は、オスロの北のハーマルへ移転し、ドイツ軍に抵抗する。

要となるナルビックでは、ドイツ山岳師団が上陸に成功するが、沿岸では、イギリス海軍が戦艦三隻、巡洋戦艦二隻、空母一隻を含む大艦隊を出動させ、四月十三日には、ナルビックのドイツ海軍を壊滅させていた。このため、山岳師団は孤立してしまう。

この事態に、今まで万事順風であったヒトラーは初めて試練の場に立たされる。追い込まれたヒトラーは、この時、ヒステリーを起こしパニック状態に陥ったと伝えられる。そして、上陸していた山岳師団を撤兵するように統帥部に指示を出すが、統帥局長のヨードル中将が、拳で机を叩き、ヒトラーを諌める一幕があったと言われる。ヒトラーに直言することは極めて異例の事態であった。冷静さを取り戻したヒトラーは、ナルビックでの戦闘を継続する。

英仏部隊は次々とノルウェー沿岸に陸軍部隊を上陸させるが、陸戦では火力に勝るドイツ軍が圧倒し、首都オセロがある南部はドイツ軍に完全に制圧される。この時のリレハンメルでの戦闘が第二次大戦における英軍とドイツ軍の最初の陸戦であった。そして六月四日には、英仏軍はナルビックから撤退することになり、スカンジナビアでのドイツ軍と連合国の戦いは終止符が打たれることになる。

この間、オスロでは、親独傀儡政権であるクヴィスリング政権が成立していた。ホーコン国王は英国へ亡命して、ポーランド同様に、ロンドンでノルウェー亡命政府を樹立することになる。

ドイツ軍は勝利した。そして、ヒトラーはスウェーデン鉄鉱石の輸送ルートを安定的に確保するという戦略目標を達成する。


しかしながら、このスカンジナビア半島の親独傀儡政権による統治は、その後、ドイツにとって大きな負担となっていく。英国は特殊作戦執行部を使ってノルウェー、デンマークのレジスタンス活動に軍事支援を行い、破壊工作、労働ストライキが頻発することになる。このため、ドイツはこの地域に数十万人の人的資源を投入せざるを得なくなる。

更には、英国ではこの作戦失敗の批判はチェンバレンに集中し、彼は退陣に追い込まれる。チェンバレンの後任には、対独強硬派のチャーチルが首相の座につくことになり、これによって、ヒトラーが望んでいた英国との和平の道は遠のくことになってしまった。

又、このスカンジナビア戦争以降、ドイツ軍は厄介な問題を抱えることになる。

それは、ポーランド侵攻では作戦に口を出さなかったヒトラーが、軍の作戦に対し直接介入するようになったことである。そして後世に伝えられる、あの有名なヒステリー発作とパニックが度々、負けが込んでからは頻繁に、ドイツ軍の統帥を混乱させることになる。

それでは、北で戦闘を進めていた英仏軍が何故、ナルビックを簡単にドイツ軍に明け渡してしまったのか。それは、五月十日にドイツ軍がフランスとベネルクス三国に対し電撃戦を開始したからである。ドイツの攻勢は凄まじく、英仏共に副次的でしかないスカンジナビア半島での戦争に構っている余裕はなくなってしまったのである。

パリ陥落する

ドイツがソ連とのポーランド分割併合を終えて以降、ドイツと英国・フランスは交戦状態にもかかわらず、国境線では戦闘行為がない状態がしばらく続く。「まやかし戦争」と言われたこの状態の中で、英仏は、ドイツとの本格的な戦争に対する準備を進めていた。

フランス市民の間では、ポーランドのダンチッヒ問題のために何故、フランスが戦わなければならないのか厭戦気分が横溢していた。

一方、フランス軍は、自信にあふれていた。フランス軍はドイツ軍に質、量ともに負けてはいない。ドイツが再軍備に本格的に着手したのは一九三五年になってからである。即席のドイツ軍などたいしたことはない。戦えばフランス軍が必ず優位に立つと確信していたし、国際社会の評価も同じであった。

具体的な数値を挙げておく。

兵員：ドイツ軍（三百万人）、連合国（四百万人以上）約一・三倍
戦車：ドイツ軍（二千四百三十九輛）、連合国（四千二百四輛）約一・七倍

戦闘機：ドイツ軍（三千五百七十八機）、連合国（四千四百六十九機）約一・三倍

ヒトラーはフランス陸軍との戦争計画を「黄色作戦」と名付け、一九三九年秋から検討を開始していた。しかし、欧州最強といわれたフランス陸軍に対する攻略計画の立案は簡単ではなかった。

参謀本部は当初、第一次大戦と同様にベルギー北部に主力を立てる計画を立案していた。南にはアルデンヌの森があり、ここを突破することは難しい、更に南には難攻不落のマジノ線（巨大な砲塔を備えた対ドイツ要塞線）が壁となっていた。

作戦立案の天才とよばれ、のちに連合軍から「最も恐るべき敵」と評されたマンスタイン中将は、この陸軍参謀本部案に反対する。

「ルクセンブルクからセダン付近のアルデンヌ森林地帯を突破するしかしない。相手はアルデンヌの森が機械化部隊を阻んでいると考え無防備なはずだ。その裏をかくのである。そしてミューズ川を渡り、フランス北部の沿岸地域に進撃するべきである」とマンスタインは主張する。マンスタインは、ドイツ軍戦車部隊を育て上げたグデリアン大将から「アルデンヌ突破は装甲部隊で突破可能」という保証を得ていた。そしてアルデンヌから英仏海峡に戦車部隊を突進させるという作戦計画を立案する。

斬新なアイデアに参謀たちはたじろいだ。特に、古参の将軍たち、陸軍総司令官ブラウヒッチ大将、参謀総長ハルダー大将はマンスタイン計画をなかなか認めようとしなかった。

このアイデアを高く評価し採用したのがヒトラーだった。

新進気鋭のマンスタインやグデリアンなどは、新しいアイデアを積極的に取り入れてくれるヒトラーに次第に心服してゆく。反目し合ったのは負けが込み始め、ヒトラーが直接細かな作戦に口を挟むようになってからである。


実は、この時期にヒトラーをクーデターによって潰す動きがあった。

もともとヒトラーは「黄色作戦」を一九三九年十一月に発動するように計画していたが、ドイツ参謀本部は、準備不足で勝利に自信が持てず反対していた。このころのヒトラーに対する評価は、特に軍事面において、まったくの素人と思われていた。彼は政治の巨人であって、戦争に対する評価は「ボヘミア出身の伍長」の域を出ていなかった（第一次大戦が終結した時に、ヒトラーの最終階級は伍長であった）。

そして、密かに独裁者に対するクーデター計画が準備されていた。

参謀総長ハルダーを中心に、もし準備不足の訴えを無視してヒトラーが対仏攻撃を命令した場合には彼を拘禁するというクーデター計画が秘密裏に進行していた。しかし一九三九年十一月八日に家具職人エルザーによるヒトラー暗殺未遂事件が起き、警備体制が厳重に強化されたこと、更には、ヒトラー自身が軍部内の不穏な動きを感知してしまったことで計画は頓挫していた。

エルザーの計画が未遂に終わってしまったのは、ヒトラーが列車時刻に合わせるために三十分早く演説を切り上げたことで、演壇背後に仕掛けてあった爆弾が爆発する十三分前に会場を後にしていたことによる。あとで詳報を受けた時、ヒトラーは狂喜し、「これは奇跡だ、神が私に生きることを命じているのだ」とつぶやいたという。ヒトラーは度重なる運の良さと、自分が打った手がことごとく成功する事態に、「予定調和」を感じたのではないか。そして次の作戦も必ず成功出来ると考えるようになる。

一九四〇年五月十日、マンスタイン計画に基づく「大鎌作戦」が発動した。三百万の兵士、二千四百の戦車、三千六百の航空機が、マジノ線の北を突破した。対するフランス軍は南に兵力を集中させていた。

森が遮り、迂回すると思われたが、ドイツ軍はアルデンヌに突入した。空爆と戦車を組み合わせた電撃戦を敢行し記録的な進軍スピードで侵攻してきた。

ドイツ軍作戦担当はアルデンヌ通過には九日かかると想定していたが、二日で通過している。

そしてベネルクス三国に対する奇襲においても、五月十五日にオランダを降伏させ、十七日にはベルギーの首都ブリュッセルを陥落させる。非武装中立方針をとっていたルクセンブルクは簡単に蹴散らされてしまった。

一九三九年のポーランド侵攻の時点では、独英仏の三国とも、オランダとベルギーの中立を尊重する意向を示していた。しかし、どれだけ中立を宣言し戦争を回避しようとしても、その国が戦略的な要衝（軍隊の通過点等）である場合、戦争は避けられないのである。

そして、ドイツは、戦闘開始後一週間で、第一次大戦で獲得したよりも広い領土を手に入れてしまう。


この時、ドイツ軍が行った電撃戦について簡単に解説しておきたい。

電撃戦（独語：ブリッツ・クリーク、英語：ライトニング・ウォー）とは、空前のスピードで敵を殲滅する姿に連合国側の新聞記者がつけたのが最初と言われている。

一九三五年にベルサイユ条約の軍事制限条項を破棄し、再軍備宣言したドイツは、一九三九年の大戦開始時点においては、既述したように戦力（兵力、戦車数、飛行機数）で英仏軍を凌駕出来ていなかった。この戦力差を埋めるためには、奇襲攻撃による敵軍の早期殲滅がポイントになる。そして、これを実現するため生まれたのが「電撃戦」であり、生みの親といわれたのがグデリアン大将であった。

ドイツ軍は、空軍による急降下爆撃と戦車を有機的に組み合わせ、その後に続くオートバイ大隊、自動車化歩兵部隊、そして地上部隊からなる機動力によって、迅速な突破を図り、敵を包囲殲滅する戦法を取っていた。そして、各部隊は無線で連絡を取り合いながら連携するという新時代の戦術であった。

これにより敵の指揮系統は大混乱し、戦場のイニシアチブをドイツ軍が掌握することになる。この戦術思想は、ポーランド戦では未完であったが、フランス戦で大成功を収めたのである。

開戦五日後の五月十五日には、仏軍の北東方面軍司令官ジョルジュ大将は、参謀長兼第五部長ドゥマン中将に「セダンが突破された」と報告し、そのまま、すすり泣きはじめたと伝えられる。フランス軍の指揮系統は大混乱に陥り、電撃戦による心理的攪乱が功を奏したのである。フランス軍の敗走は混乱を極めた。そしてドイツ軍は、たったの一週間で勝敗の帰趨を制し、一カ月でフランス軍を降伏させたのである。

六月十四日、ドイツ軍はパリに無血入城する。パリ市民三百七十万人のうち二百万人が脱出していた。そして、シャンゼリゼ通り、エッフェル塔にはハーケンクロイツがはためいていた。独軍の多くの将軍たちは、この日を「ドイツ陸軍史の偉大なる日」と感じていた。

六月二十二日、コンピエーニュの森において、ドイツとイタリア（六月十日参戦）は、フランスに新たに出来たヴィシー政府（傀儡政権）と休戦協定を締結する。これにより、フランス本土の半分以上は、ドイツ軍・イタリア軍によって占領されることとなる。ヒトラーは、第一次大戦で四年の歳月を費やしながらも攻略できなかったフランスを一カ月余りで攻め落としたのである。
因みに、コンピエーニュの森はドイツが第一次大戦に負けてフランスと休戦協定を交わした場所であった。

連合軍総司令官モーリス・ガムラン将軍は、第一次大戦の英雄だった。マルヌの戦いに繋がるフランス軍の反撃作戦を指揮した有能な軍人だった。しかしベルサイユ条約のあとはヒトラーにかき回される。ドイツ軍が非武装中立地帯ラインラントに陸軍を進駐させた時は対応を拒否し、ドイツがポーランド侵攻した際も独立保障を与えておきながら援軍を送ることもなかった。そしてヒトラーの西部大攻勢においても果敢に攻めることはなく、マジノ線の要塞で防戦しようとしたため、ドイツ軍に完全に裏をかかれてしまう。

厳しい見方をすると、「フランスは戦わなかった」のだ。ヒトラーの電撃戦の成功は、フランス側の油断と無気力さ抜きではあり得なかったのである。

フランスは第一次大戦で戦没者百七十万人を数え、致死率では四・三％になる。この数値は奇しくも第二次大戦の日本と同レベルである。フランスはその後、「戦争は二度とご免である」と、一九二八年八月にパリ不戦条約を米国、イギリス、ドイツ、フランス、イタリア、日本など十五カ国と締結する。この条約は、最終的にソ連など六十三カ国が承認していた。

条文には日本国憲法九条第一項と同じく、「国際紛争解決のために戦争に訴えることを非難し、かつ、その相互の関係において国家政策の手段として戦争を放棄することを、その各々の人民の名において厳粛に宣言する」と謳われていたが、ヒトラー相手には何の意味もなさなかったのである。

スターリンはフランス軍がドイツ軍を殲滅するか、勝てないまでもドイツ軍に決定的なダメージを与えることを期待していたが、あまりにも呆気ないフランスの敗北に驚きを隠せず、フランスの力のなさを嘆いたと言われている。このことによって、ヒトラーと西欧諸国を戦わせてお互いを疲弊させるというスターリンの思惑は見事に崩壊したのである。

スターリンは、当分の間、ヒトラーとは戦えないことを肝に銘じる。

不可侵条約締結から独ソ戦開始までの間、ヒトラーに対する批判はソ連内で禁止される。

ソ連（ロシア）研究で有名な伊藤憲一氏は、ソ連の動きは、二つの原理の連立方程式で解けると説明している。一つは「不断の膨張志向」であり、もう一つは「強いものには手を出さない慎重さ」である。そして、この原理は今も活きていると思われる。

米国国内でも、落胆は隠せなかった。

スティムソン（日米開戦時の米国陸軍長官）は、フランスの陥落は、戦争中に起きた単独の出来事の中では最もショックなものであった、と回想している。

米国内では、フランスを制圧したヒトラーがパリの街を闊歩する映像がニュースで繰り返し流された。しかし、この状況になっても多くの米国民は参戦には消極的であったが、ルーズベルト政権内では、そろそろ本腰を入れて準備を開始しなければならないと考え始める。

一九四〇年五月当時の米国陸海軍の兵力は、兵員数で二十万人にも満たず、陸軍航空部隊としては、戦闘機と重爆撃機合わせて二百機程度でしかなかった。

そして、フランス軍が壊滅した影響は甚大であり、海軍も重い腰を上げていた。

日独伊三国同盟締結の三カ月前の一九四〇年六月には、米国で両洋艦隊法が成立していた。これによりドイツ・日本と両面作戦になった場合でも対応可能な艦隊の建設が決定されたのである。

そして英国では、チェンバレンに代わる新しいリーダーが誕生する。ウィンストン・チャーチルである。ドイツとの闘いは彼が指導することになる。チャーチルが首相就任したのは五月十日であり、奇しくも西方侵攻作戦の開始と同じ日であった。

チャーチルは、首相就任の五日後の五月十五日に、フランスの新首相レイノーから、フランス軍の壊滅を知らされる。「我々は負けてしまった」とレイノーは電話口で力なくチャーチルに戦況報告した。戦闘開始から五日でフランスは敗北宣言したのである。あの栄光のフランス軍が一週間ともたなかった事実をチャーチルは簡単に受け入れることが出来なかった。そして、これから自身が戦わなければならない相手が想像を絶する力を持っていることに身震いしたであろう。しかし、チャーチルはここで怯むような人物ではなかった。

このころのドイツ軍を欧州では「スーパーソルジャー」（超人）と呼んだ。予想をはるかに超える行軍スピードは驚異的であった。ベルギーでは総攻撃を開始した五月十日の夜には、主要な拠点でハーケンクロイツがはためいていた。「なぜこれだけのスピードで行軍出来るのか」連合国側は首をかしげるしかなかった。ヒトラー自身も次々と報告されるドイツ軍の快進撃を初めは信じることが出来なかったと言われている。ドイツ軍戦車は十日で三百二十キロも前進していた。

しかし、最近の研究で明らかにされた事実として、この電撃戦のスピードを支えていたのは、ヒトラーのいう「アーリア人の優越性」ではなくメタンフェタミンの服用であった（現在では違法薬物に指定されている覚醒剤クリスタル・メス）。この薬を飲めば神経の高まりを維持することができ、不眠不休の戦闘が可能になる。ドイツ兵の中には五日〜七日眠らない者もいたという。

ロンメルも大量のメタンフェタミンを服用し驚異的なスピードでアルデンヌを進軍した。ドイツ軍は連合国との戦力差を埋めるためにこの薬物の服用を続けたのである。

ペーター・シュタインカンプ博士（医学史家）は以下に述べている。

「電撃戦については、メタンフェタミンによってもたらされたとまでは言えないが、明らかにメタンフェタミンによって支えられたのである」（ノーマン・オーラー著、須藤正美訳『ヒトラーとドラッグ』〈白水社、二〇一八年〉より）

そして、ヒトラー自身も、過度のストレス、不安発作に耐えるため、主治医モレルから覚醒剤の投与を受け、次第に依存体質になってゆく。そして、最終的には、オイコダール（アヘンに含まれる成分から作られた麻薬）・コカインの両方を服用するほどの麻薬中毒者になっていた。ヒトラーは、生来の不安定な精神体質に加え、これらの薬物依存による精神神経疾患によって判断能力を失っていくのである。

バトル・オブ・ブリテン

パリ進撃戦の一方で、英国派遣軍とフランス軍約三十五万は潰走を続け、海岸沿いの町ダンケルクに追い詰められていた。しかし、崩壊寸前のところで、ドイツ軍が進軍をストップしてしまう。ヒトラーからの停止命令が入ったからである。

ドイツ空軍総司令官のゲーリング元帥は、英仏軍主力の撃破を空軍に任せてほしい、とヒトラーに要請し、承諾を得ていた。ヒトラーは、手柄を身内（ナチス）に与えたいという気持ちが強かったからである。

ゲーリングは、自信満々であった。一方の陸軍は肩透かしをくらってしまった。「総統の命令によって、連合軍に止めを刺す寸前で我々はストップさせられたのだ。陸軍が追い詰め包囲した敵の始末を、ゲーリングの空軍に任せるとは、何たることだ」参謀総長ハルダーは不快感をあらわにした。参謀本部の将軍たちと、ナチスナンバーツーであったゲーリングとの間には大きな溝が出来ていた。

しかし戦況は、ゲーリングの思惑とは裏腹に、英国側に傾いてゆく。悪天候により独空軍の戦闘は難航し、英国軍機による妨害も始まったため、ゲーリングの作戦は空振りに終わる。

英仏軍は、ドイツ軍の攻勢を防ぎながら、民間含めた全ての船を動員して、英国本国に向けて四十万人の将兵を脱出させる作戦に成功する。

輸送船の他に小型艇、駆逐艦、民間船、中には日曜船長まで参加した。海軍の呼びかけに応じて一般市民が多数集まり同胞を救おうとする決意は、まさに「英国魂」として後まで賞讃されることになる。

一方ドイツ側は、陸軍による攻撃を再開したものの時すでに遅かった。後に独軍ルントシュテット大将は「我々は致命的な失敗を犯した」と自戒している。

もしこの四十万の内、数十万が壊滅していたら、第二次大戦の様相は違ったものになったと指摘する研究者も多い。

ヒトラーにとって、ゲーリングは二十年来の同志である。最後の最後になってナチスの仲間に花を持たせたことがヒトラー最初の致命的な失策に繋がってしまったのである。

チャーチルの出現、ダンケルクの奇跡、このあたりからヒトラーの運気は下降線をたどり始める。

ヒトラーは、本来英国とは戦火を交えたくはなかった。英国が戦わずに屈伏することを望んでいた。ダンケルク撤退以後、しばらくの間、英国への攻撃に着手せず、和平を訴えた。

しかし、チャーチルはドイツからの和平の誘いに乗らず、敢然と戦い続ける姿勢を示した。

「一度剣を抜いた以上は、息が絶えるまで、勝利を完全に手中に収めるまで剣を捨ててはならぬ」とはチャーチルが放った強烈な意思表示であった。

チャーチルはチェンバレンとは違うタイプの男であった。

結局、チェンバレンの宥和政策、「話し合いによる外交」は、ヒトラーを増長させてしまった。一方のチャーチルは、ドイツの再軍備要求は断固拒否し、イギリスは軍備増強、特に空軍の抜本的強化が必要であると主張していた。皮肉にも、平和主義者のチェンバレンが戦争を拡大するきっかけをつくり、「戦争屋」として一時期疎まれていたチャーチルが戦争を終結させたのである。

チェンバレンの最大の錯誤は、ミュンヘン会談までヒトラーを信頼できる相手と錯覚していたことであった。ミュンヘンでヒトラーは、「欧州での領土拡大は、ズデーテンが最後である」と語っていた。そしてチェンバレンはこの言を真に受け、「宥和政策、平和主義の勝利である」と喧伝する。英国民もチェンバレンを平和の使者として信頼し評価していた。この段階で、もしヒトラーを力ずくで止めていたら歴史は変わっていたであろう。

この錯誤はある意味で、ヤルタ会談までスターリンに対し全幅の信頼を寄せていたルーズベルトにも共通していた。

話をもとに戻す。

ヒトラーは、これ以上、チャーチルに宥和政策を望んでも無駄であると判断し、陸軍による英本土上陸作戦「アシカ作戦」を発令する。

核心は制空権である。ドイツとしては、先ず英国空軍を無力化する計画であった。ヒトラーはゲーリングに挽回のチャンスを与えた。そして、「汚名を返上しろ」とゲーリングを叱咤し、ゲーリングはそれに応えて、「二週間もあれば制圧できる」と豪語していた。

七月十日、バトル・オブ・ブリテンの幕は切って落とされた。

八月までは航空戦中心であったが、八月二十四日、ドイツはロンドンを空襲する。ドーバー海峡を越えて繰り返し進撃してくるドイツ軍の攻撃を世界は脅威に感じていた。ここでもドイツ空軍のパイロットはメタンフェタミンを服用していた。

チャーチルは報復としてベルリン空爆を命令する。

そしてこのような大規模空爆は十一月十四日ドイツ軍のコベントリー大空襲を最後に十一月末にほぼ終了する。英国の守り勝ちであった（損害はドイツ千九百機に対し、連合軍は千七百機）。

英国がドイツの猛襲を守りきれた要因としては、外国人パイロットの参加や、迎撃機スピットファイアの存在、優れたレーダーシステムなど、様々な要因が挙げられている。

英軍機であるスピットファイアは、独軍機メッサーシュミットに対しスピードはほぼ互角、水平面での旋回性能もスピットファイアが上であったが、上昇力と急降下性能はメッサーシュミットが優れていた。両機の比較は議論百出しているが、決定的であったのが、メッサーシュミットの航続距離が短いことであった（一説によると、航続時間が一時間半ほどしかなかった）。これがネックとなって独軍はバトル・オブ・ブリテンを有利に戦うことが出来なかったといわれている。

そして、戦闘機の優劣以上に明暗を分けたのが、レーダーである。

レーダー研究に関しては、当初、ドイツの方が進んでいたが、イギリスはこれを実践で使えるように実用化していた。そして早急にレーダー網を構築することでドイツ空軍に対抗していた。ドイツ側は、この重要性に気付かず、ゲーリングは英国のレーダー施設を重要な標的だとは認識していなかった。

ドイツ空軍が薬物に頼ったのに対し英国はレーダーで戦ったのである。

しかし、それらハード面だけでなく、最も重要であったのは、リーダーの指導力である。政治ではチャーチルであり、軍事ではダウディングであった。

チャーチルは、戦時独裁体制を構築し陸海空軍の戦略統合を行う。チャーチルは三軍のトップに立つことでリーダーシップを発揮出来たのである。

話は逸れるが、英国と異なり日本は、権力の集中を回避するために権力分立体制が採られていた。政治（陸海軍省）と統帥（参謀本部と軍令部）は分離し、戦略統合するための会議体（大本営政府連絡会議）はあったものの誰もイニシアチブを発揮できなかったのが実情であった。

もう一つ、重要な要因としては、英国はドイツの暗号解読に成功したことが挙げられる。

一九三九年、英国諜報局ＭＩ６は、のちに「チャーチル首相の秘密の館」と呼ばれた政府暗号学校、ブレッチリー・パークで諜報活動を開始する（最盛期に数千人規模の人が働いていたといわれ、チャーチルはそこで働く職員を「金の卵を産む決して啼かないガチョウたち」と呼んだ）。

ブレッチリー・パークが、ドイツが誇る暗号「エニグマ」の解読に成功し、そこから得た「ウルトラ」情報によって、バトル・オブ・ブリテンを勝利に導いたと言われている。

そして、エニグマの解読は、英国を救っただけでなく独ソ戦、ノルマンディ上陸作戦を連合国有利に導いたと言われ、もしエニグマの解読がなければ戦争終結は二年以上先になっていたと指摘する歴史家もいる。

尚、エニグマ解読に成功した、天才数学者アラン・チューリングは、「百名の最も偉大な英国人」の二十一位にランクされている。

更に最新の情報公開で次のような事実も公になっている。

ドイツ軍はエニグマに絶対の自信をもっていたが、ヒトラーは、セキュリティの強化と、増大する情報量に対応出来る新しい暗号の開発を命じていた。そして、一九四一年には、エニグマを超える複雑な暗号を使い始めた。ドイツ軍がローレンツSZ40と呼び、連合国が「タニー」と呼んだ暗号である。この暗号も、ブレッチリー・パークの数学者ビル・タットと機械技師ミトー・フラワーズの二人の天才によって解読に成功する。ヒトラーの作戦計画のほとんどが、実は敵に暴かれていたのである。独ソ戦もノルマンディ上陸作戦も暗号解読によって連合国は有利に戦況を進めていた。

連合国遠征軍最高司令官であったアイゼンハワー元帥は後に、「タニーの解読が戦争を二年短縮した」と回想しており、チャーチルも「敵の全てを知り、われわれが生きるための最も重要な秘密兵器である」と常々語っていたといわれている。

英国は、情報（インテリジェンス）を徹底的に重視したことで、ヒトラーに勝つことが出来たのである。

英国だけは、かろうじてドイツを押し戻すことが出来たが、しかし、ドイツは、欧州のほとんどの地域を勢力圏に収めていた。

欧州で孤軍奮闘となった英国の戦略とは、どのようなものだったのか。

名著として名高い『戦略の本質』（野中郁次郎／戸部良一／鎌田伸一／寺本義也／杉之尾宜生／村井友

秀、日経ビジネス人文庫、二〇〇八年）には、こう書かれている。

「バトル・オブ・ブリテンの戦略目的は、戦略的持久にあった。つまり、自国の存続をはかると同時に、ドイツに対する抗戦の意志と能力を示すことによって、アメリカの全面的支援ないし参戦を勝ち取ることであった」

従って、チャーチルの次の眼目は、如何に米国を参戦させるか、となる。

一方のヒトラーは、英国が和平に応じないのはソビエトに期待しているからだと考えた。先にソビエトを始末し、次に英国を屈服させるというシナリオを描くようになる。

そして、英国との闘いには必ず超大国米国が介入してくる。これを太平洋で引き受けて、参戦を阻止できる国は日本であると、ヒトラーは考えるようになっていた。

バトル・オブ・ブリテンの最中（一九四〇年九月）、ドイツが日本・イタリアと結んだ三国同盟の背景にはこれがあった。

亡国行きのバスに乗ってしまった日本

ドイツが西欧を制覇しつつある。日本が三国同盟を締結する時点（一九四〇年九月）の欧州の地図を見れば一目瞭然である。大半はドイツの同盟国か占領地域もしくは影響下に置かれていた。イタリア、オーストリア、チェコ、フランス、ベルギー、オランダ、デンマーク、ルクセンブルク、ポーランド（西部）、ノルウェー、アルバニア王国、そして日本に続きハンガリー王国、ルーマニア、スロバキアが枢軸条約に参加している。大国では英国が辛うじて継戦状態にあった。

ヨーロッパの覇権国家の歴史は、スペイン・ポルトガルからオランダ、次に産業革命に成功した英国によるパックス・ブリタニカの時代が第一次大戦まで続いた。そして、次の覇権国家はドイツになる、と日本は考えた。正確にいうと日本政府と陸軍の多くの人がそれを信じ、ドイツの快進撃に酔うマスコミと世論がそれを支持してゆく。

ここに、独ソ不可侵条約により立ち消えとなっていた三国同盟問題が再浮上してくる。

海軍は当初、地球の裏側の日本が何故ドイツと同盟を結ぶ必要があるのか、ドイツと結べばいずれは米国との戦争になる可能性が高くなる。戦争まで行かなくても敵対関係となれば石油や鉄鋼が入ってこなくなる、と反対していた。しかし、三国同盟以外に方策はないという空気が日本中を覆うようになり、海軍も次第に抗しきれなくなってゆく。

それでは何故、日本政府そして陸軍は、ドイツとの連携を模索したのか。

この問題を解くためには、日本を取り巻く諸外国との関係を理解する必要がある。

ポイントとなるのは中国である。当時、日本における最大の課題は、中国との戦争を如何に収束させるかであった。

■英国

日本は、日中戦争の戦線拡大によって英国の既得権益とぶつかり様々な利害衝突を英国と起こす。そして、英国は中国から収奪するよりも、中国を支援する側に回ることが国益にかなうと判断し、中国への物資の支援を拡大してゆく。

もともと中国は英国が起こしたアヘン戦争に対する反英意識が高かったが、英国の巧みな外交手腕によって、怒りの矛先を日本に転換することに成功し、いつの間にか中国に対するホワイトナイトに鞍替えしていた。

■米国

世界最大の人口を抱える中国市場は米国にとっても魅力的であり、中国市場を生命線と捉えていた日本とは必然的にぶつかることになる。

端緒となったのは、日露戦争の後処理である。日本は日露戦争に辛勝したが、講和会議がポーツマスで行われたことからも分かるように、米国の資金援助と講和の斡旋によって引き分けプラスアルファに出来たのである。その満州での利権を米国と分け合わず独占したことが米国の不興を買ってしまったのだ。日本にも色々な言い分があることは理解できるが、もっと柔軟に米国を味方に引き入れてソ連に対抗するくらいの外交構想力があれば、その後の展開は大きく変わったかもしれない。

また、中国は徹底したロビー活動によって、米国内に反日気運を醸成することに成功する。当時米国の世論調査では、日中関係について、中国に同情する七十四％であるのに対し日本への同情はたった二％でしかない。米国は民主主義の国であり世論形成が重要であることを蔣介石は見抜いていた。そして米国は中国に対する資金援助を行うようになる。

■ソ連

ソ連は、日中戦争から一カ月後、中ソ不可侵条約（一九三七年八月）を締結する。この条約により、ソ連から中国に対する武器の供給や、軍事顧問団の派遣が進められる。

満州と国境線を接するソ連にとって、日本軍が中国と対立し疲弊することは望むべきことだったのである。

■ドイツ

満州事変前から、陸軍の重鎮であるゼークトを筆頭に軍事顧問団を中国に送り込み、中国を積極的に支援していた。当時ドイツは兵器製造に欠かせないタングステンを中国から輸入して、兵器を輸出していた。日中戦争で中国が使用していた兵器の多くはドイツ製だったと言われる。そして日中戦争が激化してゆくと、ヒトラーは中国か日本かの選択を迫られることになる。

中国は主要国すべてを味方にしていた。

一方、日本は自分の正当性を主張するばかりで、味方を増やす努力を怠ってしまった。この事態に、一九四〇年八月に発足した近衛内閣（松岡外相、東條陸相他）は、既に中国に取り込まれた英米側との関係修復を行うことは難しいと判断し、欧州で勃興するドイツと結んで英米の動きを牽制するしか打開策はないと考えるようになってゆく。つまり、日中戦争を独力で解決することは難しいため、国際的な枠組みで解決するやり方に舵を切ったのである。

残念ながら日本は、知日派である蔣介石というアセットを最後までうまく活用できなかったのである。

また外務省や陸軍の若手将校からは、ドイツがこのまま欧州を席捲すれば、次は東南アジアの植民地（英仏蘭）に触手を伸ばしてくるに違いない。ドイツと条約を結び早いうちに釘を刺しておいた方が良いと主張するようになる（同盟締結後、ドイツはそれら植民地の権利を放棄する声明を発している）。

残るは海軍である。

実は、海軍も中堅層を中心に、親独に傾いていた。

海軍は、日英同盟廃止により、英国という重要なパートナーを失ったことで、第一次大戦以降、日進月歩する技術競争に遅れてしまうことを危惧していた。中でも、潜水艦と航空機の先端技術をもつドイツは、若手の海軍士官たちの憧れでもあった。彼らには、大西洋を席捲するユーボートや電撃戦を支えた爆撃機の活躍は新鮮で斬新なものに映った。そして、ドイツに接近し、同盟関係を結ぶことによって技術交流を強化するべきだと考えるようになっていた。

余談になるが、条約締結後、実際にドイツが提供に応じたのは、主力戦闘機メッサーシュミットと偵察機シュトルヒ、一方、日本が提供に応じたのは、酸素魚雷などであった。因みに、日本が何としても手に入れたかった石炭の液化技術に至っては、ドイツ側が供与に応じたのは敗戦が濃厚になった一九四四年三月になってからである。
残念ながら、お互いの技術の出し渋りがあった上に、戦略物資及び新兵器やその部品・図面等、更には技術者等の人材の輸送手段が潜水艦に限定されたため有益なものとはならなかった（制海権を連合国に握られていたため、輸送手段は潜水艦しかなかった。遣独潜水艦作戦は五回の内、成功したのは一回である）。

また三国同盟締結に抵抗しても無駄だと考えた海軍の一部は、予算をわれわれが言う額で通してくれと要求を突きつけ、陸軍がそれを了承するという裏取引を行う事態まで発生していた。宇垣纒（軍令部第一部長）は、『戦藻録』（ＰＨＰ研究所、二〇一九年）で「略……物資不足で、まったく行きづまっていた海軍の戦備は、幸か不幸か、これを機に進ませ得たので、条約締結の裏面の目的は、海軍としては、いや自分の願った点は、達したのである」と記している。

しかし海軍トップの吉田善吾大臣は、最後まで反対の旗を降ろさず、周りからも下からも世論からも突き上げをくらっていた。特に、対米強硬派の石川信吾などは、軍務局の課長でありながら九歳年上の吉田を脅し続けたと言われる。今の会社に例えると課長が社長を脅すようなものである。最後は精神的に潰され、締結直前の九月三日に築地の海軍病院に入院し、翌日に辞任してしまう。

反同盟派の中核であった米内内閣は三国同盟締結の約二カ月前の一九四〇年七月に陸軍に潰されていた（米内と対立する陸軍は、陸軍大臣畑俊六を辞任させ、米内内閣を総辞職に追い込んでいた）。そしてもう一人の「反対派の雄」である山本五十六は、その米内光政によって一年近く前に、連合艦隊司令長官に出されていた。「本当は、海軍大臣がよかったが、そうすると暗殺される恐れがあった」というのが、米内が山本を外に出した理由であった。

この事態に、軍令部総長の伏見宮はじめ海軍の重鎮は、もはや締結は止むを得ないと考えるようになってゆく。

一方のドイツは、対英戦に苦戦していた。六月には米国が英国に対する支援を表明する。アングロサクソン連合が本格的に動き始めた。ドイツは焦っていた。ヒトラーは英国に和平を呼び掛けるが、英国から色よい反応は返ってこない。そこでドイツは、米国を太平洋から牽制し参戦を阻止出来る国は日本しかないと考えるようになる。

ドイツはもともと親日であったわけではない。日露戦争に日本が勝利できたのはドイツが参謀本部の至宝メッケル少佐を派遣し指導して日本陸軍がドイツ式への兵制改革を行ったからであり、ドイツに恩義があるはずである。それにもかかわらず第一次大戦で連合国側について参戦し、中国におけるドイツの権益を奪ったことに根強い不快感を持っていた。そして日本の台頭に対する危機感（黄禍論）は米国同様に強かったといわれている。

日中戦争では既述したように中国側を支援していた。一時期、日中両国とも取り込もうとトラウトマン調停を画策するが失敗に終わる。そして、中国か日本かの選択を迫られた時に、財界含め中国を支持する者も多かった中で、ヒトラーは日本の利用価値の方に重きを置いた。

日本も一九三三年ヒトラーが首相になった時に、ドイツに対し国を挙げての熱狂などはほとんどなかった。それどころかナチスに対しては懐疑的な意見も多く見られていた。一方、一九三四年には野球ブームの真っ只中、ベーブルース率いるニューヨークヤンキースが日本遠征を行い大歓迎されていた。

このころ、庶民の間でアメリカをデモナイズ（悪魔化）するような雰囲気はまだなかった。しかし、十年も経たないうちに国民は米国を「鬼畜米英」と呼ぶようになり、ドイツに懐疑的だった国民はいつの間にかヒトラー率いるドイツを礼賛していた。経済不況で困苦に喘ぐ国民は、冷静な判断力を失っていたのかもしれない。

確かに、いち早く金本位制から離脱した日本は、満州事変までの不景気が嘘のように翌年の一九三二年から一九三五年まで景気は回復していたが、インフレを懸念した高橋是清蔵相の緊縮政策（軍事予算の削減）への転換は、二・二六事件（高橋暗殺）によって頓挫してしまう。そして、後任の馬場鍈一蔵相が引き続き積極財政を行ったため経済は混乱し、条約締結一九四〇年の経済成長率はマイナス六％と急激に悪化していた。人々は急激な経済の悪化の原因は中国を支援する英米のせいであると考え、敗戦から経済の立て直しに成功し、欧州を席捲するドイツが偉大な帝国に見えてしまったのだ。

上念司氏は、『経済で読み解く日本史　大正・昭和時代』（飛鳥新社、二〇一九年）で、「人々は経済的に困窮すると、ヤケを起こして、普段は見向きもされない過激思想に救済を求める」と当時の日本を説明されているが、正鵠を得た分析であるといえる。

話をもとに戻す。

ドイツの動きは素早く、九月七日、日本にスターマー特使を派遣し、決断を迫ってきた。

日本側もドイツの動きに呼応していく。

松岡外相はネックとなっていた自動参戦問題を機密書簡（参戦は各国政府の自主的判断によるという趣旨の規定を記したもの）で骨抜きにし、全てのお膳立てを整える。海軍大臣の及川古志郎（吉田善吾の後任）は閣僚会議の席で首を縦に振るしかなかった。

後に解明されることになるが、実は、この機密書簡とは、ヒトラーやリッベントロップの了解を取らずにオットーとスターマー二人の勝手な判断で書いた文書であった。つまり日本政府はだまされていたのである。

九月十七日の御前会議で三国同盟締結は正式決定される。

その後、二十六日に手続き上の報告が枢密院で行われた。この席で石井菊次郎（枢密院顧問官）が有名な演説を行う。「フレデリック大王以来、プロイセン・ドイツと組んで幸せになった国はない。第一次大戦では、さすがにイタリアはドイツを裏切って、英仏についたので幸せになった。イタリアも信用できない国だが、ヒトラーは吸血鬼のようなヤツだ」、石井の正論はむなしく会議室に響き渡った。

一九四〇年九月二十七日、三国同盟は締結される。

ベルリンのヒトラー総統官邸で、日本大使来栖三郎、ドイツ外相リッベントロップ、イタリア外相チアノの三代表によって署名調印され、このニュースは世界を駆け巡った。

ドイツへの過信、すなわち「ドイツが欧州の覇権国となり、新たな秩序をつくる」ということを信じてしまったこと。これが、日本が犯した最大の錯誤であった。

クラウゼヴィッツは「戦略のミスは戦術で補えない」と喝破した。日本はこの同盟で致命的な戦略ミスを犯したのだ。

駐ドイツ特命全権大使来栖三郎は、締結後、マスコミとの取材で本音を漏らした。

「きみたち新聞が三国同盟を支持するから、同盟締結に至ったのだ」

すべてあとの祭りである。

『東京朝日新聞』は社説で「国際史上画期的の出来事として誠に欣快に堪えざるところである」と絶賛しており、「バスに乗り遅れるな」は、もともと『東京日日新聞』の記事の一節であった。

最後の元老といわれた西園寺公望は、側近に「これで日本は滅びるだろう。これでお前たちは畳の上で死ねないことになったよ。その覚悟を今からしておけよ」としみじみと語った。本来、天皇の側近中の側近である内大臣の木戸幸一が元老の西園寺に対し事前に報告と相談をするべきところをしていない。親英米派と目された西園寺は、この分水嶺ともいうべき事態に蔑ろにされたのである。そして、その二カ月後に亡くなる。この言葉が日本に対する遺言になってしまった。

三国同盟に対する米国の反応は想像以上に厳しいものだった。

米国史上初めて、米国を標的に意図された軍事同盟が、よりによって欧州、東洋の軍事大国間で締結されたのである。米国にとっては、とても看過出来るものではなかった。早速、経済制裁を更に強化し屑鉄輸出の全面禁止を行う。

米国の参戦を現状打開の切り札と考えていた英国や中国の反応が興味深い。

英国外務省は、「これで米国が参戦してくる可能性が出てきた」と三国同盟のニュースを聞いて大喜びしていた。

九月二十七日の蔣介石日記では、日本の三国同盟締結について以下に書かれていた。

「このニュースが事実であれば、我が抗日戦の困難はまた一つ減ったことになる。人知の及ばない、まさに神の助けである」「日本は独伊と互いに利用しあおうとしたが、実際の効果は得がたく、却って自身の孤立を深め、危機を招くのだ。日本が手に入れたのは、有名無実の同盟関係だけで、反対に中国は強大な戦友を獲得したのだ」（ＮＨＫスペシャル『開戦　太平洋戦争　日中米英　知られざる攻防』二〇二一年より）

驚愕し、狼狽したのが、ドイツと不可侵条約を結んでいたソ連のスターリンとモロトフであった。リッベントロップ外相からは、この条約は対米参戦を牽制することが狙いであると説明を受けていたが、十分に納得できていたわけではない。もしドイツと戦争になった場合、日本が極東を攻撃してくる可能性が高いことになり、それはスターリンが最も恐れていた事態であった。

この時点で、ヒトラーとスターリンの地政学ゲームをチェスに例えると、序盤拮抗した状態が続いていたが、独ソ不可侵条約の時点で、先に動いたヒトラーがスターリンに押される展開となっていた。そして、ヒトラーが繰り出した三国同盟の一手で今度は、ヒトラー有利な状況に目まぐるしく変化していた。

但し、英国がドイツに宣戦布告し、首相がチェンバレンからチャーチルに代わったことが、後に勝敗を左右する大きな布石となっていた。

三国同盟の締結は、日本の軍部内でも大変な騒ぎとなった。

陸軍参謀本部は、多くの参謀が安堵した様子だった。

一方、軍令部（海軍）は大騒ぎとなっていた。部内では以下の光景が見られた。

英米班からは、「何てバカなことをやったのか。ドイツと手を繋いで何になる。海軍としては負担が増えるばかりで意味がない」といったネガティブな声が聞こえてくる。

一方、ドイツ班は、「この条約によって、ドイツの優秀な飛行機や潜水艦の技術が得られるのだ。日本の利益は計り知れない。それに、ドイツは欧州に新秩序を構築しようとしている。バスに乗り遅れてはならない」と同盟締結に沸き立っていた。

四国同盟構想

松岡外相は、三国同盟だけで英米に対抗できるとは、考えていなかった。彼の頭の中にはもう一つの大きな構想があった。三国同盟にソ連を加えた四国同盟である。これが実現出来れば、ユーラシア大同盟となり、国力の面でも英米に対抗できる。

そしてソ連を同盟に引き入れればソ連から中国への支援もなくなり日中戦争の終結を早めることになる。中国問題の解決と米国との戦争を回避するにはこれしかない。

松岡は、近衛内閣に入閣する前からこの構想を持っていた。入閣時、近衛首相や東條陸相にも説明し、快諾を得ていた。

この四国同盟について、ドイツでも同じ構想を持っていた人物がいた。リッベントロップ外相である。対するヒトラーは悩んでいた。彼は既に七月には対ソ戦の検討を陸軍参謀本部に命じていた。ヒトラーとは本当に恐ろしい人物である。自らスターリンに求愛し独ソ不可侵条約を結んでおきながら、一年もたたない内に攻撃計画の検討を始めたのである。

ここで主要国の国力比較を行ってみたい。

【国力比較】

世界の工業総生産に占める割合（一九三八年）（『世界史人　第２次世界大戦の真実』BEST MOOK SERIES 55を参考に筆者作成）

＊枢軸側　日本（４％）、ドイツ（13％）、イタリア（３％）**総計20％**

＊連合側　米国（29％）、英国（９％）**総計38％**

＊ソ連（18％）

ソ連が枢軸側に加わった場合、総計は38％（20＋18）になり、連合側と拮抗する。

ソ連が連合側に加わった場合、総計は56％（38＋18）になり、枢軸側の約三倍の国力差となる。

松岡やリッベントロップの頭には、この勢力均衡があった。「ソ連が、この戦争のキャスティングボードを握っている」彼らはそう考えた。

しかし常識的に考えて、ヒトラーとスターリン、そしてムッソリーニといった独裁者に対し、日本は満州事変以降十回も内閣を変えてきた。強力な指導者がいない日本がうまく付き合えるはずはなかった。

ただでさえ四国同盟は難しいという（日英同盟がうまくいったのは二国間だからである）。その上、ヒトラーやスターリンのイデオロギーは根本的に違う。成立出来たとしても、短期間で破綻することは目に見えていた。

思えば松岡自身も悔しい気持ちがあったであろう。近衛内閣から呼ばれて外相に就任した時は、既に三国同盟の線路は敷かれていた。そして、一発逆転するにはソ連を三国同盟に引き入れるしかないと考えたのだ。

陸軍参謀本部の天才といわれた石原莞爾は、欧州の戦いに日本は関わってはならない、「ほっとけば良い」と考えていた。欧米のバランスオブパワーの一角に立つには、日本は圧倒的に国力が不足している。従って、中国と和解して満州をキチンと育成することが当面の課題であると主張していた。残念ながら、この希代の戦略家は、この時すでに東條と反目し左遷されていた（石原は当面は国力の増強に努め、ソ連との戦争に勝利した後、米国と世界最終戦争を行うとの気宇壮大な野望を持っていた）。

筆者としては、三国同盟（四国同盟）には、更に根本的な問題があったと主張したい。

明治維新以降、日本は何と戦ってきたのか。人種差別ではなかったのか。それは今とは比較にならないほどひどいものであった。

『昭和天皇独白録』の最初には、大東亜戦争の遠因について「黄白の差別」が書かれている。日本の参加した一九一九年のパリでの講和会議で、各国の人種差別的移民政策に苦しんできた日本は、有色人種の立場から「人種差別撤廃」案を提出した。しかし、様々な外交努力にもかかわらず、日本案は否決されてしまっていた。その日本が、よりによって人種差別をイデオロギーにもつナチスと組むことは間違っていた。

ヒトラーの人種分類については、ヒトラーの自伝『我が闘争』の中で世界には「三つの人種」がいると書いている。一等種は「文化創造種」、二等種は文化創造種の創った文化に従う「文化追従種」、三等種は、これらの文化を破壊する「文化破壊種」と分類する。一等種にあたるのは、北方人種であり、ドイツのほか、イギリス、ノルウェー、スウェーデンが含まれる。実際、ヒトラーはイギリスとはもともと戦う気はなかったし、ノルウェー、スウェーデンに対しては寛大であった。そして日本人については、文化追従種であり、文化を創造できる民族として位置付けていなかった。

誤解がないように補足するが、日本はナチスの反ユダヤ政策は拒否してきた。

一九三七年に第一回極東ユダヤ人大会が開かれた際、ハルピン陸軍特務機関長を務めていた樋口季一郎陸軍少将は、同盟国であるドイツの反ユダヤ政策を批判しユダヤ人の喝采を浴びた。

そして二万人のユダヤ難民に満州を避難所として与え、「東洋のシンドラー」として、杉原千畝と共にゴールデンブック（ユダヤ民族に貢献した人を顕彰する）にその名が記載されている。

話をもとに戻す。

十月十三日、ヒトラーは三国同盟にソ連を交えた四国同盟の勢力範囲を討議する会談を行いたいと、スターリンをベルリンに招待した（実際に訪問したのはモロトフ外相である）。

スターリンは、四国同盟構想について、前向きに検討するだけの価値があると考えていた。ドイツ軍が如何に強力であるかは、先の対仏電撃戦で思い知らされていた。今戦って勝てる相手ではない。但し、ドイツは現在英国との戦争に苦戦しており、弱気になる必要もない。スターリンは、出来るだけ多くの譲歩をヒトラーから引き出すようにモロトフに指示した。

一方のヒトラーは、既述した通り七月には、国防軍首脳部に対し、ソ連と戦う強い意志を表明していた。ソ連がルーマニア領ベッサラビアに加え、不可侵条約にない北部ブコビナを占領したことで両国関係は既に悪化していたのだ。

ルーマニアには油田があり、ドイツはソ連から受けるよりずっと多い約百二十万トンの石油供給をルーマニアから受けていた。ソ連はこの油田地帯にまでは手を出してはいなかったが、スターリンにいつ寝首を掻かれるか分からない状況を放置しておくわけにはいかなかったのだ。

一方、四国同盟による「大英帝国の分割」にも興味をそそられていた。

モロトフとの会談で、ソ連の出方を見て最終判断しようと考えていたのだ。

（四国同盟への誘惑はソ連や日本を油断させるためにヒトラーが仕掛けたカムフラージュに過ぎないという説もある）


モロトフは十一月十二日にベルリンに到着した。

初日の外相会議の冒頭で、リッベントロップが、「我々は英国後の世界について語るべきです」と切り出した。ドイツ側は、四国の勢力圏拡大について、討議を進めようとする。一方のモロトフは、そんな雲を掴むような「山分け話」には乗ってこない。大英帝国の遺産のような明日の話には反応せず、フィンランドからの独軍撤兵要求、ルーマニア問題といった目先の課題に終始していた。


そして、次に行われたヒトラーとの直接会談においても、モロトフはぶれることはなかった。

特に冬戦争後も緊張が解けていないフィンランドに対しドイツ軍が進駐していることに、ソ連は苛立っていた。「秘密議定書でフィンランドはソ連の勢力圏であると書かれていたはずである。ドイツ軍の駐留は認められない」とモロトフは厳しくクレームを付けた。またソ連の利益に反するドイツ・フィンランド間の協定の破棄も要求してきた。これに対し、ヒトラーは、「ドイツはフィンランドに対し政治的な野心はない。ニッケルと木材を取引したいだけだ。兵はノルウェーに向けて移動中なだけである」と応酬する。モロトフは「これはスターリンの指示である」とにべもなかった。

モロトフは、フィンランドに続きルーマニアのドイツ軍施設団についても語気を強め批判を始めた。これに対し、ヒトラーは、「英国が隣国ギリシャのサロニカに軍事基地をつくろうとしているのを阻止する必要からであり、平和が得られれば撤収するつもりであった。我々はバルカンに政治的な関心はない」と英国との戦争を持ち出し反論する。

こうした激論が果てしなく続き、折り合いをつけることが出来ないまま会談は終了していた。

夜のソ連大使館レセプションには、ゲーリングや副総統ヘス、そしてリッベントロップは顔を出したが、ヒトラーは現れなかった。

そして、このレセプションは、皮肉にも英国の空爆で中断する。

翌日の最終会談は、ヒトラー抜きで、なんとリッベントロップの防空壕の中で行われる始末であった。「英国なきあとと言うが、それでは何故、我々は防空壕にいる必要があるのか」、モロトフは辛辣な嫌味をリッベントロップに吐いていた。そして、モロトフの帰国の際も、ヒトラーが見送りに来ることはなかった。

この惨憺たる会談結果とは裏腹に、新聞等の公式報道においては、ドイツ側もソ連側も、両国の関係悪化を示す記事を出すことは控えていた。

両国ともにまだ友好関係を糊塗する必要があったからだ。特にスターリンは、ドイツから入手していた工作機械や技術情報は魅力的であり、関係を当面維持する必要性を感じていた。一方、ドイツも戦争準備に必要な食糧や石油といった物資の供給をソ連から受ける必要があった。但し、ドイツの場合、それは数カ月の話でしかなかった。

ヒトラーは会談後の戦争指導会議の席で、「もともと大きな期待はしていなかった。この会談でロシアの考えが明確になった。もう、政略結婚の必要もなくなったのだ」と漏らし、ソ連との関係を吹っ切れたことで、安堵していたと伝えられている。

十二月十八日に正式に対ソ戦が発令される。

戦争遂行指令第二十一号：作戦「バルバロッサ作戦」
作戦準備：一九四一年五月十五日までに完成する

バルバロッサとは、赤いひげを意味するイタリア語であり、かつての神聖ローマ帝国皇帝フリードリヒ一世の異名である。

この時点で四国同盟構想は実質的に崩壊していた。

ヒトラーの頭には、フィンランドで無様な戦闘をしたソ連軍があったはずだ。しかし、国力に勝るソ連に勝つためには電撃戦による奇襲が必至となる。そして、奇襲を成功させるためには、作戦の秘匿が絶対条件になる。

ヒトラーは、このバルバロッサ作戦は日本人には絶対に知られることがないように関係者に厳命している。彼はバルバロッサ作戦を人種的な「聖戦」と考えており、日本の介入にはあまり期待していなかったのである。

そして、開戦の年となる一九四一年が開ける。この年は、日本のインテリジェンス能力の真価が問われた一年間といっても過言ではない。

結論を先に言うと、日本は、質の高い情報は入手していた。しかし、それを客観的に分析・評価し、政戦略にフィードバックすることが出来なかった。

独ソ戦開始までの半年間、論点の中心は、ドイツが対英戦を継続し本土上陸作戦を行うか、それともソ連に向かうかであった。

ドイツがソ連に向かうことはない、と信じていたのは、驚くべきことにスターリン自身であり、そして対独外交の要であった駐独特命全権大使大島浩であった。

スターリンの見方は、ドイツは英国と戦っており二正面作戦を行うようなバカなことをするはずはない。また、ドイツは多くの軍事物資や、食料、石油をソ連に依存している。更には、英国の海上封鎖を回避して、中東や東アジア、南米からの物資を運ぶにはソ連の陸路を使うしかない。従って、ドイツがソ連に向かうことは当面ない。戦争は覚悟しなければならないが、起こるとすれば一九四二年以降になるはずである。スターリンはこの考えに絶対の自信を持っていた。確かに、モロトフがドイツ訪問の際にソ連側の主張を躊躇なく述べ、ヒトラーが癇癪を起こしたことも知っていた。しかし、ドイツがすぐに戦争を起こすまで追いつめたとは思っていなかった。そして、スターリンはまだソ連が主導権を握れていると考えていたのだ。

この見誤りは、第二次大戦でスターリンが犯した最大の錯誤であったとも言える。ヒトラーは、スターリンが理解していたような論理で動く人間ではなかった。場当たり的な衝動と情念が優先していた。その情念から醸し出される勘がことごとく当たったため、ロジカルに見えただけである。その勘の冴えも一九四〇年くらいまでがピークであり、以降裏目に出ることが多くなっていったのだ。

ヒトラー自身も側近に「私がこれまでやってきたのはギャンブルだった」と語っていた。そしてその投機的なヒトラーのドイツと同盟を締結した日本の国策も同じく投機的であった。うまくいくはずもない。外交はギャンブルであってはならないのである。

話をもとに戻す。

実は、一九四〇年末、スターリンのもとには、ゾルゲからの情報も入って来ていた。「ドイツ軍は東部国境に八十個師団を配置した。ハリコフ、モスクワ、レニングラードの三方面から攻撃を仕掛けるであろう」この情報に対し、スターリンの書き込みが記されている。「信憑性は疑わしい」「再確認せよ」ゾルゲの情報はスターリンの考えに反した。「デマだ。これは、英国の分断工作ではないか。ゾルゲはドイツの血を持っている。信用できない」と頭から受け付けなかった。スターリンも、自分の仮説に対して、それを否定する情報はデマであり、敵の謀略に見えてしまうのだ。

実際、独ソ戦を秘匿するためにドイツ経由で様々なニセ情報が飛び交い、偽装工作が行われていた。

ヒトラーの偽装作戦にまんまと引っかかったのは、スターリンだけではない。ドイツ駐日大使大島浩もたぶらかされた大物の一人である。

大島は、一八八六年、岐阜県に生まれる。父も陸軍軍人で、大のドイツ贔屓だった。大島自身も小さい頃には、休みのたびごとにドイツ人の家庭に預けられ、ドイツ語とドイツ文化に親しんだ。そのドイツ語能力は、ヒトラーに対しても通訳を伴わないで会話出来たと言われる。ドイツ人以上にドイツ人的と言われ、米国からは「ナチス以上のナチス」とまで言われた。

彼が、ナチス高官から直接入手した旬な情報を、松岡外相や軍部はことのほか重んじた。

既述したように「バルバロッサ作戦」は同盟国日本に対しても秘匿であった。従って、大島に対しては様々な隠蔽工作を行う（偽の上陸用舟艇を見せたり、偽の作戦命令書を一人歩きさせたりして欺いたりもした）。ナチスの言うことを鵜呑みにする大島は徹底的に利用される。

ドイツとソ連の関係は険悪になってきており、ドイツが対ソ戦の準備を始めているなどの情報は、断片的にではあるが外務省は入手していたが、大島情報に信頼をおいてしまう。

その大島は、松岡の四国同盟構想を実現するために、ドイツに仲介役を何度も要請したが、ドイツ側は冷淡だった。「日本はソ連に近づかない方が良い」とのコメントを得るので手一杯だった。

因みに、日本に送られる大島情報を米国は暗号解読しており、その質の高さに驚いていた。そして、第二次大戦を通し米国の対ドイツ戦略策定に活用されていたと言われている。

一九四一年一月、小野寺信大佐がスウェーデン公使館附武官としてストックホルムに赴任する。彼こそは、第二次大戦中における日本最高のインテリジェンス・オフィサーの一人であった。小野寺は、ラトビア公使館附武官としてリガに赴任した時に、ポーランドやエストニアの情報将校たちと親交を深め、中立国スウェーデンに亡命していた人たちから質の高い情報を得ていた。彼の周りには、この二国のほかにも、ハンガリー、フィンランド、ドイツなど多くのインテリジェンス・オフィサーがいた。

中でもナチ秘密国家警察ゲシュタポ長官ヒムラーが「世界で最も危険なスパイ」と呼んだ、ポーランドの情報将校ペーター・イワノフ（本名ミハール・リビコフスキー）との親密な関係が有名である。小野寺とイワノフはドイツ、ソ連の情報を交換し合っていた。そして、ゲシュタポに命を狙われるイワノフを小野寺が全力で擁護した。戦後、彼は、「小野寺がいなければ私はドイツ人に殺されていた。命の恩人だ」と語っている。

ポーランドの情報将校が何故日本に対して協力的であったのか。

それは日露戦争まで遡らねばならない。ポーランドは、歴史的にロシアの圧制に苦しめられてきた。そのロシアを相手に勝利した日本を敬愛していた。そしてロシア革命を背後で支援して帝政ロシアを内部崩壊させた明石元二郎とポーランド独立の英雄であるピウスツキ将軍が友好関係を築いていたことも大きい。また、日露戦争でロシア兵として無理やり従軍させられたポーランド兵捕虜を手厚く扱ったことも日本に対する心証を良くしていた。

日本が日露戦争でロシアを破った時に、ポーランド人捕虜が歓喜に沸いたという話まである。

早速、小野寺のもとには、ドイツは英国本土上陸作戦を断念しソ連に向かうだろうとの情報が入って来る。そして、ベルリンの元駐独エストニア武官からは、「ドイツ側は大島さんに必ずしも全幅の信頼をおいているわけではない。大島大使の情報だけで、ドイツの動向を判断するのは危険である」との情報を得ていた。

そして小野寺は、参謀本部に対して、「大島大使の情報によると、ドイツは英国本土に向かうと言っているようであるが、真に受けては駄目だ、大使の意見だけを信じてドイツの動きを決めつけるのは危険である。ドイツは、英国ではなくソ連に向かう公算が高い」と警告を発していた。

また詳細は後述するが、小野寺は独ソ戦開始後、ドイツ勝利を前提に英米戦を考えていた日本の参謀本部に対し「ヨーロッパの客観情勢より判断するに（日米）開戦は絶対不可なり」という情報を三十数回打っている。

更に、終戦間際においては、ソ連が参戦する五カ月以上前の一九四五年二月半ば「ソ連はドイツ降伏より三カ月を準備期間として対日参戦する予定なり」という極めて貴重な情報を入手して東京に打電している。しかし日本の中央は、それらを有効活用することはなかった。

何故、小野寺情報は不当な扱いを受けたのか。これは一九三六年の二・二六事件まで遡らなければならない。小野寺は二・二六事件で失脚した小畑敏四郎の一番弟子といわれていた。二・二六事件はシナ一撃論の統制派（永田、東條他）と中国和平・対ソ強硬論の皇道派との派閥争いでもあった。二・二六の失敗により統制派が実権を握り、皇道派は陸軍中央から追われてしまう。その皇道派のリーダーが小畑であった。小野寺が重宝されなかったのはこの派閥争いが遠因の一つではないかといわれている。

話をもとに戻す。

松岡は、四国同盟締結の交渉をまとめるため、一九四一年三月十二日に大勢の人々に見送られ東京駅を出発、二十三日にモスクワを訪問し、二十六日から翌月五日までドイツに滞在、その間の二日にイタリアに立ち寄り、帰路四月七日に再度モスクワに寄る、という強行日程を組んでいた。一カ月ほどの訪欧は齢六十一の松岡にとって、外交官人生の絶頂期であり、この電撃外交によって四国同盟を実現できれば、ルーズベルト大統領とも差しで話が出来る。更には中国との和平も実現できるであろう。そして、これだけのことが出来るのは自分しかいない、と胸を膨らませていた。

松岡は、往路でのモスクワ訪問の後、ベルリン滞在中にヒトラーと会談している。会談は、三月二十七日と四月四日に二回行われた。

この時、ヒトラーからは四国同盟の話よりも、シンガポール攻撃を要請してきた。リッベントロップからも、「米国の植民地であるフィリピンはやめたほうがよい。シンガポールに集中し、アジアにおける米国の権益を保証するならば米国は参戦の名分に困るはずだ」と忠告される。

これに対しては、松岡は明確な回答はしていない。出国する前に勝手な約束をするなと釘を刺されていたからである。残念ながら、ヒトラーの日本への期待は英米に対する牽制だけだった。

以前、リッベントロップは、松岡にソ連との友好関係を積極的に勧めていたが、一転し慎重論を展開していた。松岡は、ドイツ側の微妙な変化（独ソの関係悪化）を察したが、まさかソ連への奇襲攻撃を既に決めていたとまでは思わなかった。

四国同盟の締結は厳しかった。しかし日ソ中立（もしくは不可侵条約）が出来れば、三国同盟＋独ソ不可侵条約＋日ソ中立条約で、連結すれば四国が友好的な関係を構築したことになる。四国同盟構想が根底から瓦解するわけではない。

従って、松岡にとってクリアーにしなければならないことは、ドイツが英本土に上陸するかソ連に向かうかということであった。ソ連に向かうとの情報もあったが真意は分からない。松岡自身は、ソ連に向かうことはないとの考えであったが、自分の仮説が正しいか、欧州各国のインテリジェンス・オフィサーの意見を聞こうと考えていた。

松岡が帰路モスクワに訪問する直前のベルリン滞在中に、在欧陸軍武官会議が開かれた。会議の議題は、勿論、ドイツが次にどこに向かうのか、であった。

スウェーデンからは小野寺信大佐が出席していた。その他にドイツ、ソ連、フィンランド、ハンガリー、フランス、イタリア、トルコの武官たちがいた。この時の模様を小野寺の妻は戦後手記として残している。

全員が英本土上陸を主張する中で、夫がたった一人でソ連に向かうと確信のほどを披歴したが、誰一人相手にする人はなかった。略……特に西郷さんは、「自分は大島大使のお伴をしてドイツ側の案内で英本土対岸の港々を視察したが、どこにも船がいっぱいであった。これらはみな上陸作戦用だと説明された」といって、小野寺は英米の宣伝に迷わされてとんでもないことを言うとまで明言されたという〈小野寺百合子『バルト海のほとりにて』〈共同通信社、一九八五年〉より)。

結局、松岡は、ドイツは英本土上陸に向かい当面ソ連を攻めることはない、という確信をもってモスクワに乗り込むことになってしまった。これは、致命的な錯誤と言って良い。

松岡一行は、四月七日にモスクワに到着した。

クレムリンでモロトフ外相と会談を行ったが、無理難題を吹っ掛けるモロトフの前に松岡の弁舌も空回りし、なかなかまとまらない。

十二日の会談では、直接スターリンが入ってきて、ソ連側の要求をひっこめると言った。そして、「中立条約を結ぼうではないか」と提案してきた。

ソ連側のいつものパターンである。モロトフがこわもてで対応し、相手の足元を見て、限界まで追い詰め、絶妙のタイミングでスターリンが間に入り寛大な態度を見せる。そしていつの間にか、相手は、ソ連のペースに引きずりこまれていた。第二次大戦中、このスターリンとモロトフのコンビこそ、役割分担の妙、阿吽の呼吸、全てにおいて最強であった。ヒトラーとリッベントロップは感情的過ぎた。米国のルーズベルト大統領とハル国務長官の関係は最後までぎくしゃくしていた。ましてや近衛と松岡では、主従逆転し、近衛が外相の松岡に引きずられ過ぎていた。

スターリンと直々に交渉出来るとは松岡は思っていなかった。そして、ノモンハンで闘った両国が、十三日には中立条約を締結することに成功する。

スターリンも上機嫌だった。宴席では、スターリン自ら料理の皿を松岡と日本人代表団のもとに運び、「これで安心して南進できますな」と呟いたと言われている。「おたがいにアジア人だ。アジアのために乾杯」と言い、松岡と一緒に腕を組んで写真まで撮らせていた。そして圧巻は、汽車を一時間半遅らせて宴会を延長し、帰国の途に就く松岡を駅までわざわざ見送りに来たことである。スターリンが海外の要人に対し、ここまでの歓待を行うことはなかった。また、宴席では水か軽いワインで済ましていたスターリンも、この時ばかりは、泥酔していたと伝わる。スターリンにとっても、東（日本侵攻）の心配を解消出来たことは大きかったのである。これで当面の間、欧州に集中できる。

実は、ユーゴスラビアの新ナチ政権にクーデターが発生し、ヒトラーは懲罰と称して四月六日に、フランスに続く電撃作戦を行っていた。そして十二日には、ベオグラードを制圧していたのだ。このことが、スターリンの中立条約締結の背景にあったことは間違いない。スターリンは、風雲急を告げる欧州の問題で手一杯だったのだ。

また、松岡は今回のモスクワ訪問で、駐ソ米大使スタインハートとも会談している。松岡は彼に、「ドイツがソ連を奇襲するというのは単なるうわさ話であり、ドイツがソ連からの物資獲得のためにドイツ自身が流しているものである」そして、「米大統領のあっせんで中国との戦いを終息させ和平を実現したい。大統領と国務長官に自分を信頼するように伝えてほしい。日本は米国と戦うつもりはない。そんなバカなことは考えていない」と主張していた。

松岡は、日本への帰りの汽車の中で、これで米国と交渉する下地が出来たと喜色満面であったに違いない。

一方、松岡不在の間、日本政府は対米交渉で沸いていた。

そして、松岡の思いとは裏腹に、二カ月後、ヒトラーはソ連を奇襲攻撃するのである。

ルーズベルト大統領三選

同盟問題で揺れた欧州から、米国に目を転ずると、こちらは大統領選挙の真っ只中にあった。初代のワシントン大統領が三選を固辞したことから大統領は二選までというのが慣例であったが、「流れの真ん中で馬を乗り換えてはならぬ」（リンカーン大統領も使った古い諺）という考えに基づき、ルーズベルトは一九四〇年七月に三選を決意する。

そして、「言葉以上、戦争以下」の外交方針を宣言し、「ヨーロッパの戦場に再び若者を送ることはない」と国民に向かって戦争への不参加を約束する。

背景にあった米国世論について、当時のアンケート調査を見ると八十％以上が戦争への参加に反対していた。

そして、約半数の人が武器輸出の商機と捉えていた。従って、大統領選は「参戦しない」が公約の前提となる。米国は第一次大戦で約十二万人の若者が命を落としていた。「何故、アメリカ人の若者が、欧州の戦場で命を落とさねばならないのか」このトラウマは想像以上に根が深いものだったのである。

一方、ルーズベルトのもとには、英国のチャーチル首相や中国の蔣介石総統から、再三にわたる参戦の要請が入って来る。特に、チャーチルはルーズベルトの大統領当選直後には、このままでは「ドイツと講和するかもしれない」と仄めかし、腰の重いルーズベルトを牽制していた。

選挙では、不参戦を表明しつつも、どこかで参戦の機会をうかがっていたとしても不思議ではない。

話を先に進める前に、簡単に、ルーズベルトの生い立ちと、彼の東アジアに対する基本政策について説明しておきたい。

ルーズベルトは一八八二年、ニューヨーク州で誕生する（ヒトラーより七歳年上で、スターリンより四歳年下である）。

由緒ある典型的なエスタブリッシュメントの家系であり、日露戦争の調停役としてポーツマス条約を仕切った第二十六代大統領セオドア・ルーズベルトはフランクリンの遠縁の従兄にあたる。

ハーバード大学そしてコロンビア大学ロースクールを卒業、ニューヨーク州議会上院議員、海軍次官、ニューヨーク州知事を歴任した後、第三十二代アメリカ合衆国大統領に選出される。

東アジア政策に対しては、母の実家であるデラノ家が中国との貿易で巨富を得たという背景もあり、自然と親中的な考え方が強くなっていく。

問題の対日政策であるが、もともと米国の対日政策は、大別して二つの考え方があるといわれている。

（以下、江崎道朗『日本は誰と戦ったのか』〈KKベストセラーズ、二〇一七年〉より）

一つは、「アジアの紛争は日本が引き起こしているのだから、日本を弱くしたほうがアジアの安定につながる」と思っているグループ。これは戦前のルーズヴェルト民主党政権、ソ連のスターリンなどの考えで、「ウィーク・ジャパン（弱い日本）派」と言います。

一方、「ストロング・ジャパン（強い日本）派」というのは、「アジアの紛争はソ連（現在では中国やロシア）が引き起こしていたのであって、ソ連の防波堤として日本の行動を理解するべきである」と考えるグループです。これはハーバート・フーヴァーという共和党の大統領やロバート・タフト上院議員、アメリカ・ファースト・コミュニティといった国民運動団体に代表されます。

残念ながら、第二次大戦中はルーズベルト民主党政権がウィーク・ジャパンを徹底させたため、米国は日本に対しては冷たく強硬な態度に終始することになる。

ルーズベルトは、この年の七月には、陸海軍長官を更迭し、新たな陸軍長官にスティムソン、海軍長官にノックスを起用した。両者とも共和党のタカ派であった。民主党の大統領であっても、必要とあれば共和党の人間を軍部のトップに据えるのである。米国政府（軍）は、徹頭徹尾、合理的機能集団であった。

ルーズベルトは十二月の炉辺談話の中で「米国は民主主義の兵器廠」でありと宣言するが、米国はほとんど準備が出来ておらず、軍需産業の生産が軌道に乗るまでまだ時間が必要だった。

一方で、ルーズベルトが当選を決めた直後の一九四〇年十二月十六日には、スティムソン陸軍長官、ノックス海軍長官、マーシャル参謀総長、スターク海軍作戦部長との会合で、戦争は不可避であることを確認しあっており、この段階で、ルーズベルト政権は、枢軸側との戦争に腹を固めることになる。

米国は、仮想敵国である三国（ドイツ、イタリア、日本）の中で、最強の敵はドイツであり、ドイツに勝てば、日本やイタリアはどうにかなると考えていた。

そして、準備が不十分な状態で二正面作戦（欧州と太平洋）を行うのは無理があるため、ドイツを最優先に位置付け、日本に対しては防御に徹しつつ、経済制裁で追い詰める。これが米国の基本戦略であった。

米国は日本に対し、経済制裁を段階的に仕掛けてくる。

①軍用機と部品の輸出禁止（一九三八年）
②日米通商航海条約の廃棄（一九三九年）
③屑鉄の輸出禁止（一九四〇年）
④在米日本資産の凍結と石油禁輸（一九四一年）

大きな分岐点は、②一九一一年に締結した日米通商航海条約の破棄（一九三九年七月）である。

この条約にはもともと最恵国待遇があり、一方の国が他方の国に、第三国より劣らない待遇を約束するものであった。従って、日本だけに輸出を禁止することが出来なかったのであるが、破棄することで経済制裁を課すフリーハンドを得ることが出来たのである。そして、三国同盟締結後には、屑鉄の輸出禁止を行い、最終的に石油の全面禁輸というふうにエスカレーションさせていった。ホーンベック極東部長は大統領に「資源のない日本が戦争することなどあり得ない。日本はいずれ屈服する」と伝えていた。

またノックス海軍長官は、日本など三カ月あれば十分と述べていた。最悪、日本と戦争となっても、たいしたことはないと考えていたのだ。米国は日本を大きく見誤っていた。

余談になるが、二十一世紀に入り、米国が行った経済制裁の有効性については、成功率は三分の一程度であったというレポートもある。要は、経済制裁を受けた相手国は米国が想定する合理性では行動しない場合が多いということだ。日米開戦の時も同じであった。

一方、日本の軍部においては、この時期、親ドイツ派が枢要な地位を占めていた。首相となる東條はドイツ駐在組であり、政策決定の要衝にあった軍務局のトップの武藤章、軍事課長の岩畔豪雄、参謀本部作戦部長の田中新一はドイツ班出身（幼年学校時代にドイツ語を第一外国語とした）である。海軍で日米戦を引っ張ったといわれる軍務局の石川信吾課長もドイツ留学組であった。

対する米国通は、少数派であった。武藤章軍務局長の部下であり、東條に可愛がられた佐藤賢了課長は、ワシントン駐在武官を三年ほど経験した陸軍中枢では数少ない知米派と目されていた人物であったが、彼の米国観は、「アメリカ人は国家に対する忠誠心が低く、軍人としての心構えも日本人とは雲泥の差である。アメリカは多民族国家でまとまりのない社会である」という表面的で偏見に満ちたものだった。そして、このバイアスの掛かった一方的な見方を上司の東條に語っていた。東條はこれをどの程度真に受けたかは憶測の域を出ないが、東條が「米国との戦力差は四倍」と常々口にしていたことから推測すると、精神力でかなりの部分をカバー出来ると考えていたことは間違いない。

米国も日本も外交下手という点では同類かもしれない。米国は豊か過ぎて相手の立場を理解することが苦手であった。一方、日本は視野狭窄で情緒的であり過ぎたのだ。

米国は、「言葉以上、戦争以下」の外交方針としてレンドリース法を通過させる（一九四一年三月）。レンドリース法（武器貸与法）とは、英国、ソ連、中国、フランスやその他の連合国に対して、膨大な量の軍需物資並びに食料品などを供給するプログラムのことである。その総額は五百億ドルを超え、その内の約二割はソ連に向けられていた。

米国の安全保障に寄与すると大統領が認めれば、軍需品の貸与を可能とする法案であり、侵略国家の認定も貸与する国の選定も大統領権限であった。この時点で米国は間接的に参戦したようなものである。

尚、米国がソ連に対するレンドリース法適用に踏み切ったのは、モスクワが陥落の危機を脱したと確認された一九四一年十一月の時点であった。

終戦までにソ連軍のトラックは、ほとんどがアメリカ製となった。これによりソ連は最強といわれたT34型戦車の量産に集中することが出来た。スターリンは、一九四五年二月のヤルタ会談でレンドリース法による米国の支援について、ルーズベルトに感謝の言葉を伝えていた。

もう一つ、米国の戦争準備段階での重要ポイントとしてインテリジェンスを挙げないわけにはゆかない。

「暗号の天才」といわれたウィリアム・フリードマン（米国陸軍情報部）が日本外務省関係の通信に使用されていた暗号機パープルの解読に成功したのは、一九四〇年八月のことである。そして一九四一年初めには、模造機の完成に至っていた。解読に成功したこの情報（日本外務省関係）は「マジック」と呼ばれ、英米の間で共有されることになる。ウルトラ情報（エニグマ解読）に続く、マジック情報によって、枢軸側の動きは英米に筒抜けになっていたのだ。

尚、米国陸軍の「通信諜報部」のスタッフは一九三九年九月ドイツのポーランド侵攻時には十九人、真珠湾攻撃の時は四百人、一九四五年には陸軍通信諜報部だけで一万人以上に増大していく。

余談になるが、日本の暗号解読能力は、英米から著しく劣っていたかというとそんなことはなかった。

一九三六年頃から開戦直後の一九四二年頃まで米国国務省の外交暗号、武官暗号の一部を解読している。更に、米国だけでなく、英国、中国、ソ連の情報（外交、軍事）の一部を傍受・解読出来ていたと言われている。どこまで解読されどのように活用されたかについては、戦後、資料がほとんど焼却されており全貌は不明であるが、米国からその能力を高く評価されていた。

暗号解読は、第一次大戦のころは言語学者の時代であった。それが第二次大戦では数学者の時代に変わっていた。既述したように英国のブレッチリー・パークで暗号解読作業の中心で活躍したのは、数学者たちであった。日本も数年遅れて数学者の活用を始める。

日本の中でシギント（暗号傍受・解読）は、陸軍（参謀本部）、海軍（軍令部）、外務省で行っていたが、能力的には陸軍が突出していた。その陸軍の中で参謀本部第二部が地域別の情報・謀略を担当し、別組織である中央特殊情報部がシギントを担当していた（最盛期には三千名の組織であった）。

そして、英米に遅れること一九四三年、東大数学科の名誉教授・高木貞治という第一回フィールズ賞（一九三六年）の選考委員を務めた世界的数学者の協力を仰ぎ、数学者らを集め、米国暗合の一部を解き始めた。

一九四四年春には、日本最古の養老院「浴風園」に暗号解読班を集結させ、約五百名からなる体制で、米国軍の各種暗号の解読作業を進めている。しかし、対応が遅すぎた。終戦の直前には、原爆投下に関する情報も掴みかけていたがギリギリ間に合わなかった。

「あと二年早く、開戦の昭和十六（一九四一）年から数学者を使い始めていたらあんなに簡単には負けなかっただろう」暗号少佐だった釜賀一夫は戦後、後悔の念が消えなかった（岡部伸『「諜報の神様」と呼ばれた男』〈ＰＨＰ研究所、二〇一四年〉より）。

付け加えると、インテリジェンスに関しては、暗号解読技術だけでなく、組織的な取り組みが出来ているかが重要なポイントになる。

イギリスでは、機密情報を客観的に分析するための「合同情報委員会」という省庁横断型の仕組みがあった。この中で十分に吟味され評価された情報はトップであるチャーチルに迅速に伝えられ政戦略の立案にフィードバックされていた。

米国では、日本同様に陸海軍は反目し諜報に関しても統一した動きが取れていなかったが、戦争の危険性が高まるにつれ連携するようになり、特に重要な日本に対する防諜に関しては、陸軍と海軍で傍受を分担していたといわれている。

一方の日本では、陸海軍、そして外務省の動きはバラバラで終戦まで統合されることはなかった。この縦割り組織の弊害は現代日本にも散見される。

独ソ戦勃発

四月二十二日、日ソ中立条約締結という大成果を掲げて意気揚々と松岡外相が帰国する。マスコミ総出で「救国の英雄」扱いを受けるが、しかし松岡に待ち受けていたのは思いがけない事態であった。

実は、首相の近衛は、松岡の外遊中に、外相の了解なしに日米交渉を進めていたのである。米国を仮想敵国とする三国同盟を結んでおきながら、米国と国交調整交渉を行うとは、ある意味で無定見な感じもするが、近衛も必死だった。

四月に、日米了解案が出来る。これは、米国側は、ウォルシュ司教とドラウト神父、日本側は、岩畔豪雄（当時、駐米日本大使館附武官補佐官）らを中心に、日米の私人（司祭、神父、軍人、民間人）が協議してワシントンで作成された「交渉の叩き台」として提示されたものである。

中身としては以下に要約される（加藤陽子『とめられなかった戦争』〈文春文庫、二〇一七年〉より）。

①日中間の協定による日本軍の中国撤退、中国の独立尊重、重慶政府（蔣介石政権）と南

京政府（汪兆銘政権）の合流、満州国の承認などを条件に、アメリカが日中間の和平斡旋に乗り出すこと。

②日米間の通商・金融提携をすすめること。

③日本の必要とする物資の獲得にアメリカは協力することなどで、日本の立場に大きく配慮したものでした。

日本政府や軍部は、一時期、歓喜に沸くが、アメリカ側が承認した正式なものではなかったのである（時間稼ぎのための罠との説もある）。

松岡は「日米了解案に基づく日米交渉は話が違う」と猛反対する。

彼は、「中国との戦争を終結させる妥協案を携えてワシントンに飛び、ルーズベルトと差しで協議し、中国との和平を実現させる。そして、更に進んで英独戦の調停という大芝居を行うつもりである」と強い意気込みを示していた。そして、「これだけのことが出来る日本人は自分しかいない」と野望にもえているところであったにもかかわらず、自分の頭越しで交渉が進められていたことに我慢がならなかったのである。実は、松岡は、この時にルーズベルトに蒋介石を入れた三巨頭での会談を構想していた。日本の代表は勿論、松岡本人である。

松岡は了解案に対しては「米国の悪意七分、善意三分」と見ていた。そして、日本は強引な松岡に引きずられ、強硬な改定案（米国は中国問題から手を引くこと、日本は三国同盟を堅持する、という趣旨が強調された）を米国に提示する。

一方、ハル国務長官は従来から掲げていた「四原則」の承認を求めて来た。ハルは日米了解案とは別にこの「四原則」を提示していたが、野村吉三郎大使が本国への展開を一時止めていたため、混乱が生じたのである。

①他国領土保全と主権の尊重（中国および北部仏印の軍隊の撤退）
②他国の内政への不干渉（日本が主導する汪兆銘政権を否定）
③通商上の機会均等（日本の満州の独占に反対し米国にも機会を与えよ）
④太平洋の現状維持（現状は平和的方法以外で変更しない。つまり南方進行の否定）

この四点からなる大変厳しい内容であり、更に米国は三国同盟を骨抜き（日本は三国同盟を欧州戦争に適用しない）にすることまでも要求してきた。

日米の歯車がかみ合わないまま、欧州では驚天動地の事態が発生する。ドイツがソ連に攻め入ったのだ。

一九四一年三月頃には、すでに独ソ戦は目前だという情報が英字新聞のレベルで飛び交っていた。ゾルゲもソ連に「独ソ戦近し」の情報を何度も送っていた。

五月二日の報告では「独ソ開戦の可能性は極めて高く、決定は五月となる」、三十日には、「攻撃は六月下旬になる」という確度の高い情報を送っていた。そして、六月一日には、ベルリンからタイに赴任する途中東京に立ち寄ったドイツ陸軍武官シェル中佐の口から直接、以下の詳細情報を入手しモスクワに送っている。

「開戦は、六月十五日になる。攻撃は最後通牒なしの奇襲で行われ、宣戦布告はそのあとになる」

しかし、スターリンは、相変わらずゾルゲ情報を端から信用してなかった。

ゾルゲ情報だけではない、スターリンのもとへは、フランス、ベルギーを拠点とするスパイ網「赤いオーケストラ」からの正確な情報も入ってきていた。また、チャーチルからも直々の警告を受けていたが、これらを信じることもなかった。そして、いよいよドイツ軍奇襲の動きがあからさまとなった六月十四日、痺れを切らした国防人民委員（国防相）ティモシェンコと参謀総長のジューコフが直談判に行くが、スターリンが腰を上げることはなかった。

既述したように、冷徹極まりない現実主義者のスターリンも、洪水のような膨大な情報を取捨選択する過程で、いつの間にか自分の仮説に適う情報しか受け付けなくなっていたのだ。

またスターリン直属の情報本部が、世界中から発信される夥しい数の情報やうわさ話、そしてドイツから意図的に流される偽情報の中から、スターリンの仮説に合致しない情報を切り捨て、スターリンが頷く情報を上げるという所謂組織的な「ゴマすり、忖度」が行われていたことが、スターリンの致命的な錯誤の原因であったと指摘する研究者もいる。

スウェーデンの小野寺信大佐のもとにも様々な情報が入っていた。

特に、リビコフスキからは以下の機密情報を入手していた。

「ドイツ軍がソ連との開戦に備え、ソ連国境に近いポーランド領内に集結し、棺桶を準備している」ドイツ軍は作戦開始の際、戦死者を弔うため事前に兵士のための棺桶を用意する習慣があったのです（岡部伸『至誠の日本インテリジェンス』〈ワニブックス、二〇二二年〉より）。

これを受け、小野寺は「対ソ戦あり」の情報を参謀本部に送信する。

しかし、松岡外相は「対ソ戦なし」の大島情報を重視していた。

そんな矢先の六月三日、大島はヒトラーの山荘に呼ばれる。

そしてヒトラーから「ソ連との関係は表面的に上手くいっているように見えるが、実際は逆である。私は常に相手より先に刀を抜く男である」と伝えられた。

六月五日、早速、大島は日本に向けて、「独ソ関係は特に悪化し戦争となる可能性が極めて高い」との暗号文を日本に打電した。

大島情報に接した松岡は、これをにわかに信用しようとしなかった。自信満々の松岡はスターリン同様、自分の仮説に反する情報に対し柔軟な対応が出来なかったのである。

実は、ヒトラーの計画も予定通りではなかった。

対ソ計画「バルバロッサ作戦」は、もともと一九四一年五月一日（発令段階では五月十五日）に進める計画であった。しかし、ムッソリーニがギリシャに侵攻し苦戦したため、ヒトラーに援軍を求めてきた。ヒトラーはイタリアが負けて、英国が勢いづき、枢軸側の威信が揺らぐことを恐れた。また、ギリシャが石油供給源であるルーマニアに近いことも看過出来なかった。

更には、三国同盟加入を拒否し親ソ的な動きを見せたユーゴスラビアに対する侵攻作戦への対応も重なり、作戦開始は予定より一カ月半遅れてしまう。

この遅れがソ連侵攻作戦を失敗に導いたと指摘する研究者も多い。ヒトラーは皮肉にも盟友ムッソリーニに足を引っ張られたのである。

ヒトラーは死の直前に、ムッソリーニのギリシャ侵攻が枢軸の足を引っ張ったとイタリアに対する怒りを吐露している。戦争を枢軸同盟など当てにせずに、ドイツ単独で行っていれば、独ソ開戦は計画通り行われ、ドイツ有利に進められていただろうと語っていた。

またバルバロッサ作戦は、作戦始動以前から、「戦略目標（優先順位）の不統一」という大きな問題をはらんでいた。

ヒトラーの戦略上の優先順位は、南のウクライナであった。この地域に広がる穀倉地帯と鉄鉱石、石炭といった地下資源を奪うことで自国の食料・資源不足を解消し、同時にソ連の経済力の息の根を止めることが出来る。そしてウクライナ攻略を成功に導けば、ソ連を軍事的・政治的に制圧出来ると考えていた。

政治家としてのヒトラーの足元には喫緊の課題として食料問題があった。当時の食料自給率はドイツが占領したフランスで六割強であり、ドイツ国民並びに占領地域の国民を食わしてゆくには南方作戦に力点を置く必要があった。国民が食えなくなって反乱がおきた第一次大戦の教訓がある。ウクライナ穀倉地帯とその先にあるカスピ海のバクー油田は何としても押さえなければならない。

更に、ヒトラーは北欧の鉄鉱石の輸送路を確保するためにバルト三国さらにはフィンランド湾を制圧する必要があるため、レニングラードの奪取も重要視していた。従って、開戦段階においてモスクワの優先順位は低かったのである。

一方、ドイツ陸軍首脳の多くは、一気にモスクワを攻略してスターリンを降伏させて対ソ戦を終了させるべきだ、と考えていた。この見解の違いが後に致命的な統帥の混乱を生じさせることになる。

一九四一年六月二十二日の午前三時十五分に、ドイツは三方向（北方軍集団：レニングラード方面／中央軍集団：モスクワ方面／南方軍集団：ウクライナ方面）からソ連邦への侵攻を開始した。総兵力はおよそ三百三十万人、約四千輛の装甲車、約六十万台のトラック、約二千機の航空兵力が動員された史上最大の陸上作戦であった。戦線は、約二千八百キロ（西部で約千五百キロ、北部のフィンランドとの国境で約千三百キロ）におよんでいた。

この独ソ戦には、枢軸同盟国であるイタリア軍、ルーマニア軍、ハンガリー軍、スロバキア軍、更には、冬戦争で失った領土の回復を求めたフィンランドも参戦している。問題のルーマニアはヒトラーが直々に説得に当たり緒戦から参加することに同意していた。

一方、イタリアは六月二十二日の奇襲作戦には参加していない。イタリア軍が参加するのは、七月十日である。ヒトラーはイタリアに機密保持能力が著しく欠けることを憂慮し六月二十二日に奇襲することを知らせていなかった。

バルバロッサ作戦の序盤、不意を突かれた国境のソ連軍を尻目に、ドイツ軍は驚異的な速度でソ連に攻め込んだ。

ナポレオンがニェーメン河のほとりに立ちロシアの国境を越えたのが、僅か一日違いの六月二十三日である。一八〇四年に皇帝になって八年後にロシアに侵攻する。ヒトラーも一九三三年に政権を取って八年後の侵攻であった。

そして同じく、冬将軍に苦しむことになる。歴史は繰り返していた。

ドイツ侵攻の一報を受けたスターリンは驚愕する。

どうしても、この事実を受け入れることが出来なかった彼は、部隊へ命令を出す。「これはドイツ軍による挑発である。挑発に乗り発砲を始めてはならない。ヒトラーはこの事態を知らないはずだ」

既述したように、あの慎重で猜疑心の強いスターリンがまったくこの事態を想定していなかったのである。

一方、ベルリンでは、リッベントロップ外相がデカゾノフソ連大使に対して「ソ連の度重なる不法行為に対して軍事行動で対処せざるを得なくなった」との「開戦通告」を読み上げていた。

モスクワでもモロトフがシューレンブルク駐モスクワ大使から、同様の内容を聞かされていた。

スターリンは、宣戦布告ではなく、ヒトラーから何かしらの政治的・経済的要求が展開されるであろうと踏んでいたが、完全に読み違えていた。

スターリンはドイツの宣戦布告の報告を聞くと、意気消沈し、長い沈黙が続いたと、ジューコフは回想している。

スターリンは、国境守備隊に対しドイツのあらゆる挑発に乗らないように厳命していたが、これが完全に裏目に出てしまった。

スターリンは、ドイツがソ連に侵攻するのはもっと先の段階であると予測していたし、たとえ攻めてきたとしても、初日から、広大な戦線にわたって、総攻撃を仕掛けてくるとは考えてもいなかった。しかも欧州最強といわれたフランス軍を一カ月半で駆逐したあの「電撃作戦」である。そして、ロシアに味方する雨期の到来や雪の季節はまだまだ先になる。スターリンは、「このままではソ連が崩壊する」と全身に戦慄が走っていた。


初日だけで、赤軍は飛行機を千二百機失っている。これは真珠湾攻撃における米軍被害の約六倍にあたる数である。一日でドイツ軍は最大で約八十キロ、行軍が遅れたウクライナ方面においても約十～二十キロも前進していた。

この驚異的な行軍スピードは、既述したようにグデリアンが体系化した電撃戦術によるものであった。そして兵士たちの肉体をメタンフェタミンが支えていたのである。

ヒトラーの侵攻のあとすぐに、スティムソン陸軍長官は、ルーズベルトに対し、ドイツは一カ月〜三カ月以内に、ロシアの占領を終えるだろう、と速報していた。米国から見てもソ連は風前の灯火であったのだ。

事態が大島情報通りに推移したことで、松岡もショックを隠せなかった。この報告は、三国同盟＋独ソ不可侵条約＋日ソ中立条約で英米と渡り合うという松岡の構想が完全に瓦解したことを意味した。

陸軍省の反応も、この事態を予期していたとはいえネガティブであった。

第一報をきいて対米強硬派で知られる真田穣一郎軍事課長は、「ヒトラーはなんて馬鹿なことをしたのか」と叫んだ。

日本もソ連もヒトラーが仕掛けた煙幕にまんまと嵌められたのである。

近衛首相は、驚愕すると同時に強い怒りを覚えていた。ドイツを信用して三国同盟を締結したにもかかわらず、よりによって日本がソ連と中立条約を締結した二カ月後に、ソ連に攻め込むとは何事か。日米交渉の最大のネックがこの三国同盟と中国撤退問題である。この際、不義理をしたドイツと手を切るチャンスではないかと考える。早速、企画院の鈴木貞一を呼び、三国同盟破棄の考えを東條陸相に伝えるように指示する。

東條の回答は、既述したように、「そんなドイツとの仁義に反することが、出来ると思うのか」とにべもなかった。

首相である近衛はこの時にぶれずに、東條を説得するべきであった。「独ソ戦が開始した時に三国同盟を解消するべきであった」と近衛はつくづく後悔したという。実は、陸軍の中にも動けば賛同する上中堅層もいたのだ。そして、昭和天皇も三国同盟破棄を木戸内大臣に提案していたが、欧州情勢を見守るべきだといって否定されていた。近衛も、天皇を味方に付けて大きく動くべきであったのだ。近衛は戦争のような非常事態に対応するにはあまりにも意志が弱すぎた。

一方のヒトラーは、国益は条約の上位にあると語っていた。こんな人物を相手に仁義も何もなかったのである。日本はドイツのことなど考えずに、自身の国益を考えればよかったのだ。

しかし、この独ソ戦勃発に沸き立っていたのが、参謀本部作戦課であった。この時の作戦課長は、あのノモンハンでソ連の軍備増強に警鐘を鳴らしていた土居明夫であった。土居は、「ドイツが必ず欧州の覇者になる。そして日本が東亜において、それに続くべきである」という考え方であり、独ソ戦の勃発を喜んでいたという。

六月二十四日の記者会見で、ルーズベルト大統領はソ連への支援を正式に発表する。これによって、米国の民間船がソ連の港に軍需品を運ぶことが可能になった。

実は、米国国内の反ソ感情は国交樹立当初から根深かった。

一九三三年に初代駐ソ大使となったブリットや、同時期ブリットとロシアのアメリカ大使館に勤務していたジョージ・ケナン（戦後、ソ連に対する「封じ込め戦略」を提唱）は、「ソ連にとっての敵同士（日米を含めて）を対立させ、疲弊させ、世界に共産主義を浸透させることがスターリンの狙いである」ことを早くから見抜き、本国に報告し続けていた。

そして、米国内では、英国支援と同じようにソビエトを支援するべきとの意見は三十五%でしかなかった。しかし、ルーズベルト政権はナチスを倒すにはソ連が必要と判断したのだった。

スティムソンは回顧録で、「第二次世界大戦における最も重要な政治的決断は、イギリスおよびソヴィエト・ロシアと可能な限り緊密な同盟を結んで戦争に臨むということであった。略……アメリカから見れば、この三国は、対独戦勝利において一国でも欠くことのできないチームを編成していた」と述べている。

ここで、具体的な数値を挙げておく（赤木完爾他『大東亜戦争』〈新潮社、二〇二一年〉より）。

アメリカ陸軍は一九四一年秋に、ソ連の崩壊を前提としてアメリカ独力でドイツ陸軍を打倒するためには二一三個師団が必要であると見積もっていた。しかし当時、アメリカの人口は一億三〇〇〇万人、そのうち二五〇〇万人が兵役適齢と考えられており、産業能力を維持しながら二〇〇個師団を編成することは到底不可能で、ほぼ九〇個師団の戦闘部隊を建設することをめざすことになった。戦争終結時、マーシャルは八十九個師団で戦っていた。このことだけでもソ連の継戦は絶対不可欠の条件であった。

チャーチルもその日の内にスターリンに無条件の協力を約束する電報を送った。この時チャーチルは秘書に「ヒトラーが地獄へ攻め入れば、私は地獄の大王を支援するのだ」と語っている。反共主義者のチャーチルも背に腹はかえられなかったのだ。そして、七月十二日には、ソ連との軍事協定に調印する。

これで英米連合が正式にソ連側についたのである。

ヒトラーは、当初、西側諸国はスターリンではなく自分を選ぶと思っていたが、それは大きな思い違いであった。

一方、スターリンにとって、米英のこの迅速な対応がどれだけショックで打ちひしがれた気持ちを救ったか計り知れない。

パワーポリティクスの観点からは、連合国の勝利は決定的なものとなった。

一方、戦後になって連合国は第二次大戦を「民主主義対ファシズム」の戦争などと総括し喧伝したが、ソ連を仲間に引き入れた時点で、もはや理念や価値観の戦争ではなくなっていたのだ。

米国は、ポーランドに侵攻したドイツを徹底的に非難した一方で、何故、同じくポーランドに侵攻したソ連との同盟に向かったのか。ダブルスタンダードであったといわざるを得ない。

そして最も大きな問題は、ソ連との共闘は枢軸に勝つためのものとチャーチルは割り切ったのに対して、ルーズベルトは、スターリンを同じ未来を語れる相手であると感じてしまったことであった。第二次大戦初期において、ルーズベルトとチャーチルは、最大の友人同士であったが、徐々にアジアの植民地に対する考え方で反目しあっていた。戦争後半になると、ルーズベルトは、チャーチルよりもむしろスターリンとの関係が強くなっていた。このスターリンに対するルーズベルトの錯誤がヤルタそして東西冷戦に繫がっていくのである。

くり返すが、独ソ戦こそが三国同盟破棄の最後のチャンスであり、日米戦回避における最後のポイント・オブ・ノーリターンであった。

更に、厄介なことに緒戦でのドイツの圧倒的な勝利は、陸軍参謀本部にとって、自分たちの仮説「ドイツの覇権の確立」を更に深く確信させることになってしまったのである。

そして、イタリアのムッソリーニにとっても予期していなかった事態だった。

ムッソリーニは、この日の午前三時に眠りから叩き起こされて、ヒトラーの手紙を受け取っていた。ムッソリーニはその内容に驚愕し落胆していた。そして驚く妻に対して、「ヒトラーがソ連と戦争を始めてしまった。つまり戦争に負けたということだ」と答えた。

ムッソリーニはヒトラーの魔力に取りつかれ、手を組んだことを後悔していたと思われる。彼は、心の底ではヒトラーを軽蔑し嫌っていた。日本と同じく、ドイツの勢いに幻惑され、乗るべきバスを間違ったのである。

ここで簡単にイタリアとムッソリーニについて振り返っておきたい。

ムッソリーニは一八八三年に北イタリアに生まれる。第一次大戦後のインフレに喘ぐ国民の熱狂的な支持を受け一九二二年にヒトラーより十一年早く政権取得に成功する。

当初はヒトラーの方がムッソリーニを憧れ畏怖していた。

ムッソリーニは、ヒトラー同様にベルサイユ条約に不満を持っていた。連合国側について参戦すればイタリアには領土拡張が認められていたはずだが、しかし、ベルサイユ会議ではイタリアの要求のほとんどが無視されていた。

そしてベルサイユ体制発足後、経済が行き詰まると、ドイツに先駆け領土拡張に乗り出す。

フィウメの併合を皮切りに、アルバニアを制圧する。そしてエチオピア併合（一九三五年）によって国際連盟から非難を受け英仏と対立してゆく。この頃からムッソリーニの勢いは下降線を辿りはじめ快進撃を続けるヒトラーと立場が逆転する。そして、独伊はスペイン内戦あたりから徐々に歩調を合わせるようになり、一九三七年には日独防共協定に加わることになる。

一九三九年九月のドイツ軍によるポーランド侵攻では、戦争に反対する国民に配慮しあくまでも中立を守っていた。しかし、翌年の西部戦線で、フランス軍を圧倒するドイツの快進撃を目の当たりにしたムッソリーニは、一九四〇年六月十日に参戦する。これは、フランス降伏の十二日前の参戦であり、後に「死の床の重病人に宣戦布告した」として批判されることになる。

実は、ヒトラーは腰を上げないムッソリーニに何度もラブレターを送っていた。

ムッソリーニは独ソ不可侵条約締結に対し事前の相談がなかったことに不満を持っていた。へそを曲げていたムッソリーニにヒトラーは、輝かしい対仏戦況報告に続き、微妙なニュアンスでそっと囁いてみせる、「イタリアは、この戦争に参戦しない方が得策であると思います」、このような言い方でムッソリーニのプライドを刺激し誘惑していた。このあたりの心理戦についてヒトラーは天才的であった。

イタリアも日本同様にヒトラーに翻弄され手玉に取られたのである。

更に、スペインについても書き加えておきたい。

スペインの独裁者フランコは、枢軸寄りといわれていた国の中で、ヒトラーの誘惑に乗らず特異な立場を貫いていた。

独ソ戦が開始される前から、ヒトラーは、フランス（ヴィシー政権）やイタリアといったラテン国家とは微妙な関係にあった。「ラテン民族とつきあって、ろくなことはない」と側近に吐露していたという。

そのラテン国家の中でもヒトラーが最もイライラしていたのがスペインであった。フランコは、スペイン内戦（ソ連が支援するアサーニャ政権とフランコ率いる軍部の戦い）の時に、窮地をヒトラーによって救われていた。

その意味でフランコはヒトラーに恩義があったはずである。

しかしフランコは、ヒトラーから対英戦への参戦を再三にわたって要求されるが、のらりくらり拒否していた。そして独ソ戦勃発に際しても、枢軸寄りの中立という立場を最後まで崩さなかった。このフランコに対し、ヒトラーは、「詭弁だらけのブタ」と激しい怒りをぶつけていた。ヒトラーにしてみれば、敵に回したくなかったアングロサクソンと戦争になり、ラテンは当てにならず、黄色人種の日本と同盟を結んでいることに苛立っていたはずである。

戦後、中立政策のお陰でフランコは生き延び、その独裁的な恐怖政治は英米から強い非難を受けていたが、東西冷戦という国際環境の変化を利用して西側との関係修復に成功する。

スペインは、フランコ独裁による厳しい評価は別にしても、敗戦国になることを免れたのである。

日本もスペインのように欧州戦争に対しては中立の立場を取って国際情勢の変化に機敏に対応するという、生き方もあったかもしれない（勿論、この場合も中国との和平が前提になる）。

南か北か

独ソ戦の二週間前、大島大使から「独ソ戦近し」の情報が伝わると、軍部内では、今後の方針について連日会議が続いていた。

松岡外相は中立条約を結んだ舌の根も乾かぬうちに北進論を言い出した。独ソ戦が早くかたづくならばドイツと組んでソ連を挟み撃ちにできる。ソ連を壊滅させる唯一無二のチャンスであると主張する。

参謀本部の強硬派である田中新一部長も同じく北進を主張する。これに対し、陸軍省と海軍は従来通り南進で対抗するかたちで意見が割れた。

結局、七月二日の御前会議では、従来どおり南進を進めることに決定するが、北進についてはは独ソ戦の状況によってはソ連を撃つ、というふうに決着する。

御前会議で、原嘉道枢密院議長は、「日本が南部に手を出せば、アメリカの参戦はあるのか」を質問している。これに対する杉山参謀総長の回答は、「ドイツの計画が挫折すれば長期戦となり、アメリカ参戦の公算は増すであろうが、現在はドイツの戦況は有利である。従って、日本が仏印（現ベトナム）に出てもアメリカは参戦しないだろう。勿論、平和的にやりたい」と回答している。

仏印までならば米国は動かないだろうという楽観論が判断の背景にあったのである。海軍の見解も同じであった。海軍案（南進）の原案を書いた軍令部藤井中佐は、「南部仏印までが限界でそれ以上はダメだ」という認識であった。仏印は、ドイツが支配下においたフランスの植民地であり、軍事行動なしの平和進駐であった。従って、英米との軋轢は避けられると考えたのである。

早速、南進の方は実行に移された。七月二十八日に南部仏印（現在のベトナム南部）への進駐を開始する。

北に対しては、陸軍が関東軍特殊演習という名目で準備を開始していた。七月七日には大動員令が下り、七十万以上の兵力が動員された（戦後ソ連政府は、関東軍特殊演習について、日ソ中立条約違反の利敵行為であるとしてこれを非難して、ソ連対日参戦を正当化する論拠とした）。

しかし事態は、日本側の楽観論を裏切る事態に進展してゆく。日本軍の南部仏印進駐に対し、米国は強硬な措置に踏み切り、七月二十五日の在米日本資産の凍結に続き、八月一日には石油の対日全面禁輸を断行してきた。

予想もしなかった石油全面禁輸の発動である（更に、米国に次ぐ石油輸入先であったオランダ領東インドの統治当局は、ロンドンに樹立されたオランダ亡命政府からの指示で、米国と歩調を合わせ石油禁輸に動いていた)。

この措置の背景には英米側に以下の思惑があった。

日本の南進について脅威を感じたのは東南アジアに植民地をもつチャーチルであった。シンガポールが日本の航空機の活動圏内に入ったことで、日本がシンガポールを攻撃した場合、ドイツとの両面作戦になってしまう。ドイツとの戦いに手一杯であった英国はアジアでの戦争に対応できる余裕はない。この事態に対しチャーチルは強力な経済制裁を英米が連携して行うことを米国に要請していた。日本が南部仏印に進駐することを暗号解読で事前に察知していた英国は、日本が実際に動く前から米国国務省に働きかけていたのだ。

そして実は別の目的もあったことが最新の研究で明らかにされている。それは、日本の北進を牽制するための措置であった。つまりドイツと戦っているソ連が日本軍との両面作戦によって潰れてしまうわけにはいかないため、日本を南に引き付けるために行ったのである。連合国側にとって、ドイツに勝つためにはソ連が必要であり、彼らが敗北するわけにはいかなかったのだ。

八月一日に米国が対日石油禁輸を発表すると、北進派の中核であった田中作戦部長は北進を断念する。「もはや、南進政策の強行しかない」と二日には覚書に記している。従って、米国の意図は見事に功を奏したことになる。

実は、ドイツ軍は七月の段階でソ連の徹底抗戦に疲労の色を見せ始めており、ヒトラーは当初「日本などあてにしていない」と語っていたにもかかわらず、七月十五日には総統本部に大島大使を招き、「対ソ戦に日本も参加するよう」勧告していた。その意味でも、米国の石油禁輸措置は、連合国側において絶妙のタイミングだったといえる。

八月九日、北進の布石であった関東軍特種演習は「年内は中止」と決定される。

参謀本部内では、南進論に対し若手参謀の中には対英米戦に繋がるとして慎重論を説く者も多かったが、服部作戦課長と辻兵站班長、更にはその上司である田中作戦部長のトリオによって、南進政策は強硬に進められてゆく。実は、田中、服部の後ろ盾となっていたのが東條陸相であった。

服部卓四郎は、ノモンハンの敗戦で教育総監部付に左遷されていたが、停戦協定からわずか一年後の一九四〇年十月に参謀本部に戻って来ていた。背景には東條の引きがあったと言われている。いわゆる派閥・温情人事である。そして服部は、土居に代わり作戦課長に抜擢され、台湾軍研究部員に左遷されていた辻政信を兵站班長として呼び戻していた。あのノモンハンのコンビがこのタイミングで参謀本部に復活していたのである。

一方、石油禁輸の報は日本政府にとってあまりにも衝撃的であった。日本の石油の備蓄は一年半あるかないかであり、一日一万トン以上が消えてゆく。一九四一年七月時点の備蓄量七百万トンが一九四三年一月に切れる状況にあった。

近衛首相もいよいよ、日米交渉に本腰を入れ始める。

近衛は、直接ルーズベルトと会談し決着する奥の手を考えた。トップ会談の席で中国、ベトナムからの撤退案を申し入れ、引き換えに大統領からは石油合意を取り付ける。それを天皇に報告し裁可をもらう。天皇大権をもって軍部を抑えるという非常手段である。

この近衛案には天皇も海軍も同意し、陸軍も「ルーズベルトが日本側の提案を拒否した場合、対米戦を近衛が確約してさえくれれば会談に賛成」と条件付きながら同意する。近衛はこの会談で中国、ベトナムから撤退を米国に確約すれば殺されるかもしれないことは分かっていたが、命を捨てる覚悟で決意したのである。

陸海軍上層部を説得した近衛は、八月七日にハル国務長官にトップ会談を申し入れる。八月十七日、ルーズベルトは野村大使と直接話した中で、「首脳会談に反対ではない」と答え、会談の場所としてアラスカのジュノーを提案していた。日本側が脈ありと考えたのは当然であった。

保科善四郎（海軍省兵備局長）は戦後、「行く人員まで決めていた。船の準備までしていた」

ていた。

と語っている。近衛から木戸へは、「ルーズベルトと合意したら木戸に電報を打つから天皇に上奏してくれ。それを陸海軍大臣に示して、陛下の思召し、ということで押し切ろう」と話していた。

日本が米国の石油全面禁輸措置の後、戦争準備を決めた九月六日の御前会議の後に近衛は、グルー駐日大使に日本の置かれた窮状を相談している。出席者を限定した秘密裏の会談であった。出席者は、近衛とグルーの他に首相秘書官の牛場友彦、グルーの側近であるユージン・ドゥーマンの四名であった。

日本側の意向を受けたグルーは、「日本が、非合理的な、対米戦争に打って出て来る可能性がある。従って、近衛内閣を潰してはならない」「日本は誤算が生んだ危機的状況から抜け出そうともがいている。この首脳会談が最後のチャンスである」といった具申をホワイトハウスに繰り返し行う。一方、首脳会談反対を主張していたのが、国務省政治顧問で親中派・対日強硬派のホーンベックである。彼は、首脳会談を行えば中国には不利で、日本に有利な状況が生まれてしまう。そして、日本を経済制裁で弱らせることが彼らの軍事行動を抑制することにつながり、弱くなった日本が強いアメリカに戦争を仕掛けてくることはない、とグルーの考え方に反対する。

結局、国務省でハルからの信任が厚かったホーンベックの考えが主流になる。

米国側（ハル国務長官）は、事前に政府間で了解に達していない中での首脳会談は危険であるとの理由で、十月二日に拒否してきた。

ハル国務長官は、キャリア形成期である三十代の四年間にテネシー州の裁判官を務めた法律家であり、近衛一世一代の「腹芸」など理解できるタイプではなかった。後述するが、この首脳会談が暗礁に乗り上げてしまったことが致命傷となって近衛は失脚する。

フーバーは回顧録で「近衛の失脚は二十世紀最大の悲劇の一つとなった」とまで書いている（『裏切られた自由』ハーバート・フーバー著〈ジョージ・H・ナッシュ編〉、渡辺惣樹訳〈草思社、二〇一七年〉より）。

勿論、ルーズベルトの政敵である元大統領フーバーの発言に関しては割り引いてみる必要があるが、日米交渉の大きな節目であったことは事実である。

陸軍省における対米交渉のキーマンと目されていた石井秋穂（開戦直前、陸軍省で東條陸相、武藤軍務局長の部下）は、上司の武藤と戦争回避に向け努力した人として知られているが、戦後になって次の証言をしている。

「資産凍結を受けてね。それから約一週間ばかり考え通したですよ。それから夜も昼も家におっても役所に出ても、そればかりを考えた。そして、もう一滴の油も来なくなりました。それを確認した上でね。それで、わたしは戦争を決意した。もうこれは戦争よりほかはないと

戦争をはじめて決意しました」（ＮＨＫスペシャル『御前会議　太平洋戦争開戦はこうして決められた』一九九一年より）

米国の石油全面禁輸とトップ会談の拒否は日本を開戦に追い込む決定打となってしまった。

この時期ルーズベルトが行った一連の経済制裁と日本政府への対応は、米国共和党の政治家や保守系の研究者、マスコミの一部から厳しい批判にさらされることになる（以下、ハミルトン・フィッシュ著、渡辺惣樹訳『ルーズベルトの開戦責任』〈草思社文庫、二〇一七年〉より）。

アーサー・クロックはニューヨーク・タイムズ紙（ワシントン支局）の記者であったが、ＦＤＲに次のように述べている。「あなたは一九三七年の『隔離演説』以来、日本にはとにかく冷たく、そして辛くあたった。その結果、日本を枢軸国側に押しやってしまったのである」（ＦＤＲとはフランクリン・デラノ・ルーズベルトの略称のこと。著者記入）

ナイ上院議員は次のように嘆いた。「日本が枢軸側についてしまったのは、わが国外交の拙策の結果である。日本には向こう側についてもらっては困るのである。日本はアメリカ国務省の強引な対日外交の結果、そうせざるを得なかったと主張した」

本来、米国の主要な敵はヒトラー、日本の敵はソ連だったはず。そして日本は米国に石油を依存していた。何故日本をもっと理解し、味方に引き入れなかったのか、という考えを持つアメリカ人もいたのだ。

公文書研究の第一人者である有馬哲夫氏は、「7月の日本の進駐の段階では、戦争を決意していません。しかし、そのあとの10月の段階では日本を明らかに追い込んでいきます。ルーズベルトは7月から10月の間に、何らかの情報で日本と戦争をしたほうがよいと判断したのです。ここは今後の研究課題でしょう」と指摘している（『日米開戦1941　最後の裏面史』〈宝島社、二〇二一年〉より）。

有馬氏の指摘する七月から十月は、近衛が首脳会談を提案した八月七日から拒否された十月二日と重なる。常識的に考えて、首脳会談提案の回答に二カ月もかかることは本来あり得ない。石油を止めてこれだけ緊迫した状況の中で、八月までは積極的であったものをひっくり返して、九月の頭には予備交渉の継続を主張し十月になって拒否する。拒否の理由についても取ってつけたような言い方になっている。巷間伝わる話としては、「ホーンベックの反対が主流となって首脳会談が暗礁に乗り上げた」となっているが、本当にそうなのか。それとも意図的な（戦争準備のための）時間稼ぎなのか。あるいは、日本側（近衛）の大幅譲歩によって日米交渉が成立し、中国から撤退した日本軍がソ連国境に移動することで、再び北進論が台頭することを米国側が恐れたため、会えなかったという可能性も否定できない（この時期、独ソ戦はまだドイツが有利な状況にあった)。

一方、米国は、四月から五月にかけて陸海軍合同作戦計画を練り上げていた。

その中で、「ドイツに我が国との戦争を始めさせることが重要である」との結論に至っている。

また、米国の指導層は、ドイツ系移民の多い南米(特にブラジルとウルグアイ)でナチズムが徐々に浸透していることを憂慮し始めていた。ドイツがもしこの勢いでソ連を破り、そして英国も屈伏せざるを得ない状況になった場合、南米そしてカリブ海諸国もドイツに与するであろう。この流れを何としても止める必要がある。そのためには、米国が直接、欧州との戦争にかかわる必要があったのである。しかし、米国政府が国内世論を説得するためには、自分から攻撃するわけにはいかず、最初の一撃は相手からでないといけないというジレンマをはらんでいた。

これに対し、ヒトラーは度重なる米国の挑発には決して乗らなかった。

六月には米海軍駆逐艦がドイツ潜水艦に対して機雷攻撃を仕掛けているが、ヒトラーは反応していない。

ヒトラーがダメなら、外交音痴である日本が利用された可能性は十分にある。

米国は大西洋・欧州と太平洋との両面作戦を回避したいと考えていたが、欧州での戦いは陸軍が中心となる。一方、日本との戦いは太平洋での海軍が中心となる。従って、最終的には両面作戦となっても対応可能と判断したのではないか。

一方のソ連は、独ソ戦勃発に対する日本の動向を注視していた。

独ソ戦勃発のあと、駐日ソ連大使のスメターニンが松岡外相を訪ねている。スメターニンからは、「日本とは中立条約があるからこれを守っていただきたい」と懇願されるが、松岡は「三国同盟と中立条約が衝突した場合、我が国としては三国同盟を優先する」と突き放している。これを聞いたスメターニンは落胆し、体を震わせ帰っていった。

この情報は、モロトフからスターリンに届けられているはずである。スターリンは、彼が最も恐れている両面作戦に進展する可能性があることに震撼したに違いない。

独ソ戦の翌日、ゾルゲに諜報指令が通達される。

「独ソ戦に対する日本政府の方針を探れ」

ゾルゲは、ドイツ急襲の情報をほぼ正確に発信したことで、スターリンから信任を得ることに成功していた。

ゾルゲは、北進か南進かを複数のルートから情報入手し分析・判断を行っている。

先ずは、松岡外相と懇意であったオットー駐日大使からの情報である。ゾルゲはドイツ大使館に自由に出入りし、オットーの秘書のように働いており信任も厚かった。そのオットーからの情報によると「日本は中立条約を破りソ連を攻める」、この情報は松岡外相から聞いた話がソースとなっていた。

更に、尾崎秀実からも貴重な情報を得ていた。尾崎はもと朝日新聞社の社員であり、総理大臣秘書官牛場友彦の推薦で内閣嘱託となっていた。近衛ブレーンの一人として「朝食会」や政策研究団体である「昭和研究会」などに参加する中で、日本政府の政策や動向についての情報を得られる立場にいた。また近衛の政策決定に対しても一定の影響力があった尾崎は、この立場を利用して近衛に「ソ連は日本と戦うつもりはないこと、北進はメリットがなく南進するべきである」と執拗に説いていた。

彼は外務省嘱託で元老西園寺公望の孫である西園寺公一から御前会議の情報を得ていた。西園寺は戦後、「尾崎とは秘密なしに何でも話していた。そういう関係だった」と答えている。

西園寺の情報源は、海軍の国策立案の中心人物であった軍令部藤井中佐である。海軍の国策の原案は彼が書いていた。情報源としてはこれ以上のものはない。まさか藤井も親友であり血筋の確かな西園寺元老の孫がソ連の諜報網に入っていたとは想像できなかったであろう。

そして尾崎は以下に結論付けていた。

「北は準備だけ」

ゾルゲはこの二人の情報を総合的にみて、尾崎の情報の方が正しいと判断する。

七月十日、ゾルゲはソ連諜報部に報告を入れた。

「御前会議はインドシナ進駐を決定した。同時にソ連の敗退に備えて北に対しては準備」

そして、九月十四日には、オットー駐日大使から得た情報をもとに決定的な報告を行う。

「オットー大使によると日本の対ソ攻撃の可能性はない」

慎重なスターリンは、ゾルゲ情報以外にも日本の北進の可能性は低いとの情報を入手しており、ゾルゲ情報の信憑性は高いと判断した（スターリンはゾルゲとは別ルートである内務人民委員部NKVDからも北進はないとの情報を入手していた）。

スターリンは、ドイツは日本に参戦するように要請しているはずだ、不安だったがようやく安心した、と言われている。


七月十八日に近衛内閣は総辞職し、松岡を外した第三次近衛内閣が発足する。

松岡は、あまりの独断専横ぶりから昭和天皇の信頼も完全に失ってしまっていた。また、米国側の外相にあたるハル国務長官が松岡では交渉にならないと言ってきたことに対する回答の意味もあったのだろう。

そして、外相は親米的な豊田貞次郎に代えられた。対米強硬派と目された松岡外相を出すために近衛は、内閣改造まで行ったのである。この人事はルーズベルトに対する強烈なメッセージでもあった。

一九四一年十二月八日、松岡は真珠湾攻撃のニュースを聞いて、「三国同盟の締結は僕一生の不覚だった。三国同盟は、もともとアメリカの参戦を防ぎ、世界大戦を予防することにあった。それがこんな結果になってしまった。死んでも死にきれない」と号泣したという話が残っている。

思えば、松岡ほど、評価の難しい人物もいないかもしれない。彼は、東京裁判の最中に結核で死去する。その後、日本外交の失敗の多くを背負わされた感がある。ハルが松岡の更迭を要望したのも何を言い出すか分からない松岡の交渉力を恐れた面もあったからではないか。ドイツ側の証言からヒトラーに気後れせずに交渉出来たのは、ソ連のモロトフと松岡だけであったとの話もある。そして、あのスターリンからも一目置かれていた。確かに自己愛性が強いポピュリストの面はあったが、そのスケール感は余人をもって代えがたいものもあり、大陸的スケールを持っていた。日本にこの荒馬を乗りこなせる人物がいなかった悲劇かもしれない。

余談になるが、もし日本が北進していたら歴史はどうなっていたかについて論じてみたい。米国のウデマイヤー将軍は「もし日本が対ソ戦に出た場合、ソ連は東西に兵力分散され東西から挟み撃ちとなり、ドイツが勝利する可能性が高かった」と述べている。

一方、終戦時に鈴木首相の内閣書記官長であった迫水久常は、戦後の江藤淳との対談で興味深いことを言っている（迫水が同意した「ある人」の見解）。

「日本の陸軍のたった一つのとりえは、ソ連の実力を正当に評価しておったことである、もし正当に評価していなかったら、おそらくあのときに兵隊を出しただろう」

「そうすれば、明らかに日本は北日本と南日本に分割されていた。ソ連の力を正当に評価して、最後まで恐れたから今日の日本がある。だから陸軍に点をやるとすれば、対ソ認識が正確であったということだけだ」（江藤淳『もう一つの戦後史』〈講談社、一九七八年〉より）

私見としては、やはり北進はまずかったのではないだろうか。北進した場合も英米とも戦争にならざるを得ない。シベリアには石油が取れないので結局石油を獲得するために南方にも行かねばならず、南北両面戦となり日本軍のリソースは枯渇したはずである。いずれにせよこの戦争は、英米がソ連を味方に抱き込んだ時点でアウトなのである（ソ連が英米を取り込むことに成功したという見方も出来る。つまり反ナチという点で利害が一致していたのだ）。

総力戦分析と陸海軍戦略

一九三九年九月、陸軍部内では日本の総力戦を経済面から研究するために、軍務局軍事課長岩畔豪雄大佐が中心となって、陸軍省戦争経済研究班（秋丸次朗中佐がひきいたので秋丸機関と呼ばれた）が発足していた。この秋丸機関は経済学者をはじめ各界のトップレベルの人材を集め、総勢最大二百名程度の組織で進められていた。

具体的には、以下の六班で構成される。

①英米班（主査・有沢広巳　東京帝国大学助教授　統計学の権威）
②独伊班（主査・武村忠雄　慶應義塾大学教授）
③日本班（主査・中山伊知郎　東京商科大学教授）
④ソ連班（主査・宮川実　立教大学教授）
⑤南方班（主査・名和田政一　横浜正金銀行）
⑥国際政治班（主査・蠟山政道　東京帝国大学教授）

最も重要な英米班の有沢広巳は、治安維持法で検挙され保釈中であり、東大も休職中であったが、専門のマルクス経済学だけでなく、近代経済学、統計学にも造詣が深く、更には世界経済にも通じており、総力戦研究には最適な人物とみられていた。

そして、独ソ戦が勃発した直後の七月に、秋丸機関はこれらを集大成して陸軍上層部に報告を行っている。

ポイントの一つは、ドイツの戦力分析である。

日本（特に参謀本部）はドイツの勝利を前提に戦略を組み立てており、この分析は重要な意味をもった。

「ドイツ経済抗戦力調査」では、ドイツの経済抗戦力は一九四一年いっぱいを最高とし、一九四二年より次第に低下せざるを得ないと分析している。そして対ソ戦が短期で終結し直ちにソ連の生産力（労働力、ウクライナ農産物、バクー油田他）が利用可能になれば勝機を見出せるが、長期戦となると交戦力は加速度的に低下し、対英米長期戦は不可能になると結論付けている。

そして、この分析は、のちに正しかったことが立証される。独ソ戦は長期化してしまい、ソ連の生産力を取り込めなかったドイツは兵站が崩壊し敗北したのである。

従って、日本としては一九四一年内にドイツがソ連を征圧出来なければ、戦略を再構築する必要があったのだ。

戦後になるが、開戦当時の参謀本部作戦課長だった服部卓四郎や、その部下であった瀬島龍三も「ドイツ勝利の前提」を明言している。戦後、瀬島氏は以下にコメントしている。

「略……私はあの時、大本営の参謀本部の作戦課にいたけれど、ドイツの勝利が前提でみんな浮足立ったのであって、ドイツ・ストップと聞いたなら全員『やめ』です。それでも日本だけやるという人なんかいません。その空気は、私はよく知っています」（日下公人氏との対談　小室直樹／日下公人『太平洋戦争、こうすれば勝てた』より）

瀬島の上司である服部卓四郎も戦後、ヨーロッパでドイツがソ連に続き、英国を屈服させるだろう。そして、英国が屈服すれば米国は孤立して、継戦意思を喪失し、日本との講和に応じてくるはずだ。日本の海軍はそれまでの期間は、持ち応えるものと信じていた、と証言している。

参謀本部内には「ドイツ必勝」という空気が醸成されていたのだ。

もう一つの重要ポイントは、英米の戦力分析である。

「英米経済抗戦力調査」では、英米合体すれば圧倒的な戦力格差により持久戦は耐え難い。秋丸は戦力差を二十倍とみていた。これは、陸軍参謀本部が独自に行った対米調査結果（陸軍主計大佐新庄健吉が三井物産と組んで行った調査。当時三井物産は日本一の米国情報通であった）と同様の結論であった。

開戦初期において米国側に援英余力は無いが、一年ないし一年半後には、英国の供給不足を補うことが出来る。

そして、弱点としては、英国の船舶輸送力が挙げられていた。

つまり米国の生産力が本格化する前に英国のロジスティクスを崩壊させ屈伏させることが戦勝のポイントになることを示唆しているのだ。従って、戦闘の優先順位は必然的に米国ではなく英国になり、そのロジスティクスを崩壊するためには、ドイツと連携してインド洋航路を遮断する必要があるということになる。

つまり南下したあとは西のインド洋にゆけというのだ。米国はなるべく刺激しないで、フィリピン（アメリカの植民地）にとどめ、米国艦隊が来たらマリアナ沖あたりで漸減要撃するという作戦が基本となる。

実は、英国はドイツが北アフリカからカフカス山脈を越えて、インドを横断してくる日本と合流する流れ（日本の西進とドイツの東進）を非常に危惧していた。もし日本がこの基本戦略（南の次は西）を徹底していたら、日英米戦はまったく違った状況になったかもしれないと指摘する研究者もいる。

そして、この戦略はいくつかの前提をクリアーすればそれなりの合理性はあったと考えられる。

一つは、陸海軍の戦略連繫である。これは海軍が最終的に真珠湾攻撃を選択し、つまり西でなく東に戦略目標を転換したために整合性がつかなくなる。そして更に厄介なことに真珠湾は奇襲であったため、開戦直前まで秘匿されていた（海軍の一部しか知らなかった）。従って、開戦三週間前の十一月十五日に大本営政府連絡会議で正式決定された国家戦略「対米英蘭蔣戦争終末促進に関する腹案」は、真珠湾を前提にしていない。

敗戦が濃厚になった一九四五年二月十六日に東條英機は、「海軍の実力に関する判断を誤まれり、而も、海軍にひきずられた。構成終末を誤れり、印度洋に方向を採るべきであった」と述べている。本来の戦略は対英作戦に注力し、独と連携するつもりだったが、海軍は真珠湾の後もいつのまにかミッドウェーを決めて結局手痛い敗北を招いてしまったことで勝機を逸したと嘆いていたのである。

二つ目は、独伊軍との連携である。連合国のインド洋航路を壊滅させ、オーストラリアやインドを英帝国から切り離すためには、中東や北アフリカで戦う独伊軍との共同作戦が必要であった。しかしながら、枢軸側はトップ同士が戦略統合を図るような連携は見られなかった。ドイツ軍やイタリア軍からは、日本軍のインド洋、北アフリカでの連携を促す要請が再三あったにもかかわらず、日本軍は反応していない。いや、太平洋に手を焼いていて出来なかったのだ。

一方、英米両国は、アルカディア会議（一九四一年十二月二十二日から一九四二年一月十四日）においてルーズベルトとチャーチルの合意によって、連合参謀長委員会が設立された。第二次大戦における英米の戦略指導に関する最高位の軍事組織体を、真珠湾攻撃、それに続くドイツ参戦のあとすぐに発足させている。

例えば、米国は太平洋に日本海軍を釘付けにするために、ドーリットル作戦を行い、英国を助けている（一九四二年四月に米軍は、太平洋航行中の空母ホーネットから飛び立ったB25によって日本本土を空襲させ、日本の関心をインド洋から再び太平洋に向けさせることに成功する。これが引き金となってミッドウェー海戦に繋がったのである）。

しかし、日本がインド並びに東南アジアの植民地を英国から奪い、英国との物流を断ち切ったとしても、米国が大西洋航路で英国に物資を送れば英国は屈服しない。従って、ドイツのユーボートが大西洋航路でどれだけ英国の船舶を撃沈出来るかが重要なポイントになってくる。つまり英国との戦いにおいてもドイツの交戦力が決め手となるのだ。

（更には、日独伊の連携によって仮に英国に勝てたとしても米国までを屈服させることは出来ない。英国が負ければ米国の継戦意思は喪失するだろうと手前勝手に考えていたのだ）

結局、この戦争はドイツ頼みであったことになる。そして、その分水嶺となるのは、何度も繰り返すが独ソ戦におけるドイツの早期勝利であった。

ドイツの進撃止まる（陸軍参謀本部の錯誤）

戦争が始まった六月二十二日以降、スターリンの十一日間については、諸説ある。人とほとんど会わず引きこもり、神経衰弱になって泥酔していた、との話から、中には、休戦の交換条件をどうするかまで頭の片隅をよぎっていたと指摘する者もいる。

七月三日の朝六時半、緒戦の精神的なダメージから立ち直ったスターリンは、はじめてマイクの前に立ち、ソ連国民に向かって語りかけた。

簡潔を重んじるスターリンは、ヒトラー、ムッソリーニ、そしてチャーチルやルーズベルトのような雄弁家ではなかった。報告書を読むような抑揚のない話し方であったが、人々の心にストレートに突き刺さった。

「同志、市民諸君、兄弟姉妹よ、わが陸海軍の戦士たちよ。……敵は残酷かつ無慈悲である。彼らは我々の富を狙い、我々の文化を破壊しようとしており、そして我々を奴隷にしようとしている……我々は、ソ連国土の一センチまで、最後の血の一滴まで戦わねばならない」

そして、緒戦におけるソ連軍の破綻については、西部方面軍司令官ドゥミートゥリー・パーヴロフ将軍が責任を負わされた。彼と部下の多くが裁判にかけられ銃殺された。徹底したマキャベリズム（恐怖による支配）である。ミッドウェー海戦において、失敗の当事者であった南雲長官や草鹿参謀長の責任を追及せずに復仇の機会を与えた日本（海軍）の温情主義とは大違いである。

緒戦の快進撃が一段落した七月後半、ドイツ軍は第二次攻勢に関し議論が紛糾していた。「戦略目標（優先順位）の不統一」の問題がここにきて顕在化したのである。

日本が北進か南進かで論戦したように、ドイツでは東進（モスクワ）か、南進（キエフ）か、でなかなか決着がつかなかったのである。

ドイツ軍首脳は、対ソ戦終結のためにはモスクワ攻略が絶対条件であり、冬が到来する前に最優先に考えるべきと主張していた。彼らはロシアの力を過小評価していたことを、日増しに受け入れ始めていた。ハルダー参謀総長は、「われわれが十二個師団をつぶせば、ソ連は平然として新たな十二個師団を投入してくる。略……時間は彼らの味方だ。われわれは進めば進むほど自分の資源から遠ざかるが、彼らは退けば退くほど自身の資源に近づく」と日誌に記している。

そして、モスクワ攻略に関し、「このままでは戦機を失う」と事態を焦慮していた。多くのドイツ軍首脳部にとって、モスクワを優先するべし、という結論は見えていたのに、最終決断をするのは、元伍長のヒトラーであることに苛立ちを隠せなかった。

しかし、ヒトラーはあくまでも南に拘った。彼は将軍たちに対して、対ソ戦を遂行するためにはウクライナが必要であること、ソ連の黒海艦隊によるルーマニア油田地帯の攻撃を防ぐためにはクリミア半島を占領する必要があると考えていた。電撃戦による早期終結のはずが、ヒトラーの頭の中では長期戦を意識するようになっていた。

一カ月以上の論議の末、ヒトラーは八月二十二日に総統指令を下令する。

「冬季の到来の前に達成するべき主目的は、モスクワの占領ではない。最優先にするのはウクライナとレニングラードである」結局、モスクワは後回しにされた。

独ソ戦に分水嶺があるとしたら、この瞬間であった。ヒトラーは、現場の将軍の意見を退け自説に固執してしまった。背景には彼自身の極度の体調不良に伴う判断力の低下を挙げる研究者も多い。下痢、胃痛、吐き気、呼吸困難、心臓病研究所を主宰するウェーバー博士は、急速に進行中の冠状動脈硬化症と診察していた。しかし、ヒトラーは主治医モレルからの得体の知れない薬物投与（ホルモン剤や睡眠薬）を受けることになる。ナポレオンも下痢と胃痛による体調不良で戦機を逸して敗北したと言われているが、ヒトラーも同じだった。

ドイツ軍は南部方面に重点をおいた。そして、ソ連西南総軍の主力を制圧する史上空前の大包囲戦を展開し、九月二十六日にキエフを陥落させる。ソ連側の死傷者、捕虜は百万人以上にのぼった。作戦的には大勝利であったが、しかしこの二カ月に及ぶ時間の浪費は致命的であったと、ハルダーをはじめとするドイツの将軍たちは戦後述懐している。「所詮は、元伍長には戦争も作戦も分からないのだ」というのが、誇り高きドイツ軍指導者らの本心であったであろう。

九月末の時点でドイツ軍の「人的被害報告」によると死傷者は約五十五万人（全体の二十％弱）であり、ドイツ軍は想定外の被害を受けていた。

ヒトラーがこの報告を受け、驚愕と焦りを覚えたことは想像に難くない。

キエフ攻略のあと、ヒトラーの目はモスクワに向く。そして十月二日に、モスクワ攻略「タイフーン作戦」を発令する。やっと独軍の主力がモスクワ侵攻を開始するのである。作戦開始当日の戦場は晴れ渡っていたと伝えられている。ヒトラー及びドイツ参謀本部は、この晴天は四週間続くと予測していた。

ハルダー参謀総長は、この日の日誌に「中部方面軍は、きらめく秋気の中を前進した」と記している。

そして、ドイツ軍は三方面から百万以上の兵力でモスクワへの進撃を開始する。

十月七日、勢いに乗るドイツ軍はモスクワまで二百キロに迫っていた。

一方のソ連も必死であった。

十月五日、ソ連の戦闘機によって、十二マイルにわたるドイツ装甲部隊の車列が確認される。この想定外の情報を受け入れられないソ連軍は、すぐに偵察機を飛ばし事実であることを確認する。クレムリンの首脳たちは、このドイツ軍の新たな攻勢に慌てふためいた。

そして、プラウダ（共産党機関紙）・イズベスチヤ（政府機関紙）・赤い星（赤軍機関紙）などによって、「ソ連が滅亡の危機に瀕している」ことを公表し、市民の勇戦を呼び掛けた。

十月十五日には、ソ連政府の主要機能は、クイビシェフ（現サマラ）へ疎開し、赤軍参謀本部はアルザマスへ移転することが発表される。この情報は瞬く間にモスクワ市民に伝わり街はパニック状態になっていた。

日本では、翌日の十八日に近衛内閣が総辞職している。

そして、このモスクワでの非常事態は「ソ連の崩壊は近い」という印象を強め、陸軍参謀本部の「ドイツ不敗の確信」を更に強める材料となっていた。

十月十日、スターリンは、レニングラード攻防戦で指揮を執っていたジューコフに首都防衛を命じた。「ノモンハンの英雄」が帰ってくることはモスクワ市民に勇気を与えた。

十月十九日には、モスクワに戒厳令が敷かれ、大学生まで動員し急ピッチで要塞化を進める。

十月二十六日、建川駐ソ大使は、他国の大使と一緒に汽車に乗り込みクイビシェフに移動した。

モスクワ市民のパニックは続き、逃亡する人々が列車や道路に殺到した。そしてモスクワの人口は約四百万人から翌年の一月までに約二百万人に半減したと言われている。逃亡者の中には、共産党員も含まれていた。

スターリンは必死であった。クレムリンの地下鉄には専用列車が、飛行場には専用機がスターリンを避難させるために用意されていたが、最後まで使うことはなかった。彼は逃げなかった。このことが、モスクワ市民の奮闘を呼び覚ますことになる。

そして、スターリンに予期せぬ強力な援軍が登場した。ナポレオンを苦しめた「冬将軍」である。この年のロシアは例年になく天候が悪く、雨期が長かった。道は泥の海となり、そして十月には雨が雪に変わっていた。一カ月早い「冬将軍」の到来であった。

十月末までに、ソ連軍は何とか敵の前進を食い止めていた。一方のドイツ軍は、包囲されても降伏しないロシア兵を相手に消耗しきっていた。包囲すれば降伏するという常識はロシア兵には通用しなかった。そして、例年よりも早い八月末に始まった雨期よって泥沼化した悪路がドイツ軍の侵攻を阻んでいた。

このころになると、思わぬ「ドイツの苦戦」は英字新聞のレベルで人目に見えてきていた。そして、ストックホルムにいた小野寺のもとにも、ドイツの作戦が挫折しているとの情報が入って来るようになる。

十月中旬、ヒトラーは衝撃的な報告を受ける。「モスクワ方面が一面数インチの雪で蔽われている」というものだった。これは、ナポレオンの二の舞を恐れていたヒトラーにとって聞きたくない話だった。悪い予感が全身を駆け巡ったに違いない。開戦当初、ヒトラーは、「六週間でモスクワを陥落させ、この夏には、クレムリンで戦勝パレードを行う」と豪語していた。ヒトラーは、ロシア軍を包囲降伏させることによって先へ先へと進めるものと思い込んでいた。ところがロシア兵は包囲されても決して降伏しなかった。

士気が落ちていたフランス軍とは勝手が違っていたのである。ロシア軍を見くびっていたのだ。ろくな冬装備も準備せずにヒトラーはナポレオンの愚を繰り返した。

そのころゾルゲは、最後の報告をモスクワに送っている。

「十月中旬までに米国が妥協せず日米交渉が決裂すれば、日本はマレー、シンガポール、スマトラを攻撃する　年末にはアメリカと開戦する」

十月十八日、ゾルゲは逮捕される。一年余りにわたる特別高等警察のゾルゲ諜報団に対する捜査がついに本丸のゾルゲを捉えたのである。尾崎は、十月十五日に既に逮捕されていた。

尾崎逮捕の報に近衛は驚きを隠せなかった。自分が信頼を寄せ頼りにしていたブレーンの一人がソ連のスパイに協力していたことは、プライドの高い近衛を深く傷つけたに違いない（近衛内閣潰しにゾルゲ・尾崎事件が利用されたという説もある）。

獄中のゾルゲに対してソ連から救済の手は延びてこなかった。無視された。

ゾルゲは、「私の仕事は世界の共産主義革命実現のためにも貢献したと思う」という言葉を残し、一九四四年十一月七日、ソビエト革命記念日と同じ日に尾崎とゾルゲは死刑になる。

一方、七月から九月にかけてゾルゲが報告した「対ソ攻撃はない」という情報は東の軍備を西に移動させる重要情報の一つとなっていた。また十月以降に日本軍が北進した場合、冬のシベリアでの戦闘となり、日本軍とて躊躇するであろうとの読みもあったはずである。

十月から十一月にかけて極東にいたソビエト軍が西に移動を始めた。約二十万（諸説あり）の精鋭部隊、そして千の戦車、千の飛行機が、モスクワ攻防戦に投入されることになる。

しかし、スターリンは、極東ソ連軍の移動という最重要の意志決定をゾルゲ情報だけを頼りに判断したわけではない。複数の情報の内、最後の決め手となったのは、暗号解読であったと考えられる。

一九四一年秋、米国と英国に次いでソ連もパープル（外務省の暗合）の解読に成功する。そして更に、ソ連国境に駐屯する赤軍諜報部通信班が日本軍の通信を傍受していた。その結果、日本が年内はソビエトを攻撃する意図を持っていないことが改めて確認できたのである（極東軍の移動について、ゾルゲ情報がどの程度の影響力を持ったかは、研究者によって議論が分かれている）。

ブレッチリー・パークのインテリジェンスが英国を救ったように、ソ連もインテリジェンスによって救われたのだ。

小野寺信スウェーデン公使館附武官はこのころ、ドイツが苦戦している情報を様々なルートから掴んでおり、参謀本部に対し「ヨーロッパの客観情勢より判断するに（日米）開戦は絶対不可なり」という情報を繰り返し発信していた。「ドイツは負けている。ヒトラーは速やかに終わると言っていたにもかかわらず、雨期が長かった。夏の準備のまま冬の作戦に入ってしまった」

「ドイツの勝利をあてにして戦争をしてはダメだ。英米と戦争しても勝てる見込みはない」

しかし、日本側からは「きみの情報は間違いだ。英米側の謀略に引っかかっている」と反論される。小野寺の貴重な情報はまたも黙殺された。

ドイツ勝利で突っ走っていた参謀本部からすれば余計な情報だったのであろう。

相棒のポーランド情報将校イワノフもドイツの苦戦を指摘していた。

イワノフは持論としてグロスラウム・ストラテギー（広域戦略）を常に口にしていた。これは戦争の場合、敵を国境の近くに引き付けておいて攻撃に出る作戦であって、こちら側から国境を越えて深く攻め入ることは必ず失敗するというのである。その意味で独ソ戦は最初からドイツ人にとって悲観的であると見ていた。同じことがパールハーバーにも当てはまり、あれは駄目だと言っていた（『バルト海のほとりにて』より）。

「戦力は根拠地から戦場への距離の二乗に反比例する」といわれる。戦力が劣る国は兵站を延ばしてはならないのである。

一方の大島大使は、ドイツ有利の情報を発信し続けていた。

十月十一日に大本営に対し、「ドイツ軍は厳冬期前にソ連軍を粉砕し、モスクワ戦を成功させるであろう。次の英国上陸作戦は明春以降と観測する。成功の公算は極めて高いと判断出来る」

十一月二十九日には大本営に対して、ドイツがモスクワ戦で苦戦しているにもかかわらず、「ヒトラーは、ソ連軍を徹底的に粉砕し、スターリンをシベリアの奥地に追い込むつもりである」と報告している。

かつて独ソ戦開始の情報をヒトラーから直々に入手することに成功していた大島情報を参謀

本部は重要視していた。大島は最前線にドイツ軍幹部と一緒に視察することまでしており信憑性は高いと考える人たちも多かったが、一方でドイツ側のバイアスの掛かった大島情報を怪しむ冷静な人たちもいた。

そんな中で、参謀本部の中枢にいた作戦担当者たちは自分たちの仮説（作戦）に合う情報に縋ってしまったのである。「人は見たいものしか見ない」とはカエサルの言葉だが、典型的な確証バイアスに掛かっていたのだ。自分自身の思い込みを正当化する情報を集める傾向に人間はある。参謀本部作戦課のエリートは、陸軍幼年学校、陸軍士官学校、陸軍大学とずっとトップクラスの秀才で通した者ばかりである。自信過剰で、認知能力が優れているほど、情報を合理化して、自分に都合のよい解釈をしやすい傾向が強いといわれている。

このことからも組織には多様性が必要であることを教訓にしなければならない。

南方作戦始動する

秋丸機関の報告にあるように、英米経済抗戦力調査から、英米連合の弱点は英国の兵站である。マレーシア、インド、ビルマといった植民地を解放して、インド洋航路を遮断し、ドイツが大西洋の商船航路をユーボートで攻撃することが英国側からみて一番手痛い戦い方になる。日本の南方作戦の背景にはこの考え方があった。

そして、南方作戦の目的は、大きく分けて二つあった。一つは東南アジアの英米勢力を一掃し、蔣介石への支援ルートを遮断すること、そしてもう一つは、パレンバンの石油を含む重要資源地帯を攻略することである。

攻略目標は、フィリピン、マレー、ジャワの三つが柱になっていた。そして、ビルマ攻略戦の終焉をもって一段落と考えた。

第一期：二十五軍マレー作戦・シンガポール攻略戦、十四軍フィリピン攻略戦
　　二十三軍香港攻略戦

第二期：十六軍蘭印攻略戦、十五軍ビルマ攻略戦

その下準備として、一九四一年二月一日、大本営直属の南機関は、陸海軍協力の下に鈴木敬司大佐を機関長として、ビルマ独立の援助とビルマ・ルートの遮断を目的に誕生する。

一方、藤原岩市中佐はマレー工作の担当として一九四一年九月十八日に杉山参謀総長に訓令を手交される。後にF機関としてインド独立運動に関わることになる。

彼らは、現地の指導者と信頼を築き大きな成果を挙げ、独立を約束する。しかし、後から軍上層部が介入し、独立は時期尚早となり、板挟みになるというパターンを繰り返す。植民地解放・独立という理想論と、資源獲得による長期不敗態勢の確立という現実論が最後までぶつかり合うことになる。

植民地政策については、連合国側も決して一枚岩ではなかった。

ナチスの打倒という共通目標に対し、英米は一致団結し連携を強化していくが、東南アジア政策については反目していく。それは特に連合国側の戦勝がほぼ確定的になった一九四三年から顕在化していった。

チャーチルは、「大英帝国解体を目撃するために首相になったのではない」と植民地の維持をはっきりと主張していた。

一方、米国にとってヨーロッパ列強の植民地は、米国の国益から排除するべきものであると考えていた。そして、米国は領有する植民地フィリピンの独立を一九四六年に行うと宣言していたが、チャーチルはインドの独立を最後まで認めなかった。米国の、あるアンケート調査では、「英国は不当な利益を植民地から得ている」に六割近い人がイエスと答えている。米国では、「我々は英国帝国の一味には加わりたくない」との思いを持つ者が多かったのである。

一方、圧倒的に豊かな米国が語る理想主義は、英国には尊大に映ったであろう。チャーチルは米国の理想主義に同意する気はさらさらなかった。

（この英米の植民地を巡る対立は、戦後ソ連との冷戦構造の出現によって同盟関係が再強化する流れの中で緩和され、英国が植民地放棄を受け入れることで決着してゆく）

東南アジア、そしてインドが英国のボトルネックであった。

戦後になって、イエール大学の歴史学者であるポール・ケネディ教授は、もしインドが崩壊してしまうと、エジプトも陥落して状況全体が枢軸側に有利に働き戦争は違った方向に動いただろう、と分析している。

もし日本が太平洋での消耗戦に足をすくわれず、チャンドラ・ボースと一緒にインパール作戦（一九四四年三月）を一年〜二年早く行っていれば英国のインド植民地支配は大戦中に崩壊していたであろう。

鈴木敬司大佐は、一九四〇年六月、日緬協会書記兼読売新聞記者駐在員の南益世の名で、ビルマに入国する。

日本がビルマ独立をめざす運動を支援し、活動に火がつけば、英国からの中国への支援ルートを遮断できると、民族独立運動の中心人物であるタキン・アウンサンと鈴木大佐の考えは一致する。早速、この話し合いの結果を鈴木大佐は軍部上層部に説明し、「南機関」が誕生する。一九四一年四月、海南島のジャングルの中に、三亜訓練所が開設された。

そしてビルマ側によって人選された「独立の志士」三十名に対する過酷な軍事訓練が施される。ビルマの志士と教官たち一行は十月五日に、三亜訓練所を閉鎖して台湾に向かい南方軍に編入される。

一方、藤原中佐が主導するF機関のメンバーは、十一月に逐次タイ国内に潜伏し、秘かにインド独立連盟の指導者アマルシンや書記のプリタムシンと連絡を取り準備を進めていた。またマレーに反乱を起こさせるために、マレー語とタイ語を堪能に扱い、敬虔なムスリムとして三千人のマレー人子分を持つ、谷豊（通称マレーのハリマオ。戦後『怪傑ハリマオ』としてドラマ化されている）とも連携し工作準備を行っていた。

ビルマ、マレー、インドの独立運動に対する影響力工作は着々と進められていた。

真珠湾攻撃計画（海軍の錯誤）

山本五十六が連合艦隊司令長官になったのは、奇しくも第二次大戦が勃発した前日の八月三十一日であった。彼はかなり早い段階で真珠湾攻撃の可能性を考えていた。一九四〇年三月には、「飛行機で真珠湾を叩けないものか」と呟いたのを福留繁少将が聞いている。

もともと三国同盟に反対し、日米戦絶対回避を訴えてきた山本にとって忸怩たる思いもあっただろうが、武人として「もし戦えば」を検討しておくことは当然のことであった。

そして、この年の暮れ、つまり真珠湾攻撃の一年前には、及川海軍大臣に真珠湾攻撃の構想を口頭で伝えている。そして、一九四一年一月七日付で、山本は、及川宛に、「戦備に関する意見」という、書簡を書いている。

この中で、「開戦劈頭に敵主力艦隊を猛撃、撃破して、米国海軍および米国民をして救うべからざる程度にその士気を沮喪せしむること是なり」と、勝敗は第一日に決するとの覚悟を表明している。

正式に軍令部に提案したのは、一九四一年の四月である。

ところで、山本が真珠湾攻撃に固執した理由は何か。

一つ目は、日本は南方の資源要域を押さえての長期不敗態勢は国力からいって不可能である。従って、緒戦で徹底的に叩いて米国の継戦意思を喪失させて早期講和を図る。そのためには米国艦隊が集結している真珠湾を叩くことが一番効果的であると、考えたこと。

二つ目は、南方作戦を中心に艦隊活動している間に、アメリカ太平洋艦隊が本土攻撃を仕掛けてきたら対処できなくなる。従って、安心して南方作戦を行うためには真珠湾を叩いておく必要があること。

大きくはこの二点であったと考えられる。

更に、一点付け加えるとすれば、一九四〇年十一月十三日に、英国海軍がイタリアのタラント軍港を奇襲し、六隻の戦艦の内、三隻を大破したという実績であった。このニュースに山本は、飛行機で軍艦を沈める発想は決して現実離れしていないと確信したと思われる。

山本から事前の検討を命じられていた第十一航空艦隊参謀長大西瀧治郎少将と第一航空艦隊参謀長の草鹿龍之介少将は、オランダ領東インドの石油資源獲得が目的なのだから、従来計画していた通りの戦い方であるフィリピン（米国の植民地）方面に戦力を集中し、米国艦隊を漸減要撃するべきとして、ハワイ奇襲作戦に反対する。第一航空艦隊司令長官で艦隊をハワイに率いることになる南雲忠一中将も反対していた。賛成していたのは僅かに第二航空戦隊司令官である山口多聞少将くらいであった。

大西はもともと「日米戦では、武力で米国を屈服させることは出来ないのだから、どうしても長期戦にならざるを得ない。真珠湾攻撃のような、米国を強く刺激する作戦は、避けた方がよい」という考えに傾いていた。

そして十月三日に福留少将と共に、反対意見をもって山本長官のところに直談判しに行く。しかし、山本の決意は固く、「ハワイ奇襲作戦は断行する。両艦隊とも幾多の無理や困難はあろうが、ハワイ奇襲作戦は是非やるという積極的な考えで準備を進めてもらいたい」

「僕がいくらブリッジやポーカーが好きだからといってそう投機的だ、投機的だというなよ。君たちのいうことも一理あるが、僕のいうこともよく研究してくれ」と説得されてしまう。

別の席で、山本は、「天が我に味方するのであれば、この作戦は必ず成功する。失敗するようなことがあれば、天に見放されたのである。その時は戦争そのものを断念するべきなのである」と語っていた。失敗したら日本軍は継戦意思を喪失し、戦争を断念出来ると思っていたとしたら、それは大きな錯誤ではないのか。そして、米国も簡単に講和を受け入れることはないであろう。

「桶狭間とひよどりごえと川中島とを合わせ行うような方法で戦わなければならない」と山本五十六は語っていたが、作戦の準備は極秘裏に周到に行われていた。

一九四一年三月には、軍令部第三部第八課の吉川猛夫を諜報部員としてハワイに送り様々な重要情報を入手し報告させている。報告の電報は合計百七十七通に達していた。

吉川は「外務省職員の森村正」というニセの身分を得てホノルル領事館に勤務していた。そして、オアフ島が一望できる「春潮楼」という日本料亭に入りびたり米国艦隊の動静を観察していた。

彼の発した情報の中には、流星を観測していたハワイ在住の日本人より「三十年来ハワイでは暴風雨は一度もない。東西にはしる山脈の北はいつも曇り、南は晴れ」ということを確認し、急降下爆撃は可能であることを突き止めていた。また、真珠湾は第一第三日曜日に艦船が集中していること（攻撃には日曜日が適していること）も報告しており、真珠湾攻撃前日の艦船の停泊状況も正確に伝えていた。

そして、吉川に対しても真珠湾攻撃は伏せられていた。作戦の秘匿はそこまで徹底していた（実は、米国は早い段階から、吉川が「領事館外の男」であり、スパイ活動を行っていたことを知っていた。米国が何故、吉川をスパイと分かっていながら自由にさせていたのかは不明である。このことは後述する真珠湾陰謀説に絡んでくる）。

そして、過去十年間の調査の結果、北回りで攻撃すれば外国船舶に遭遇するリスクは極めて低いことも確認していた。

技術面で最大のネックとなっていたのは、魚雷沈度の問題であった。魚雷は海面に落達すると二十メートル沈み込んでしまうため、オアフ島の水深十二メートルでも使用できる魚雷の開発が必須であったが、海軍は九一式航空魚雷を開発し、水深の浅い真珠湾での使用を可能にしていた。

山本五十六は、オアフ島での攻撃を想定し、地形の似た鹿児島湾でパイロットの訓練まで抜かりなく行っている（訓練は、八月初めごろ、開戦の四カ月前からつづけられていた。そして何故ここで訓練するのかは誰にも明かしていなかった）。

しかし、この連合艦隊案に対し漸減要撃作戦を考えていた海軍省軍務局や作戦部は猛反対する。米軍は開戦と同時にマーシャル群島に根拠地をつくり、そこから攻めて来る。その前提で何年も研究を行い、訓練を重ねてきたのである。それを無にする山本案を受け入れるわけにはいかなかったのだ。

十月十九日、山本の懐刀であり、その風貌から「ガンディ」と呼ばれていた連合艦隊先任参謀の黒島亀人大佐が「この作戦が認められなければ、山本長官は連合艦隊司令長官を辞職すると仰っている」と言い、これに驚いた軍令部総長の永野修身大将は「山本がそこまで言うのなら、希望通りやらせてやろうじゃないか」と言って作戦実施を認めることになる。

永野は、戦後の東京裁判で「海軍省軍務局案の方が理にかなっていると思ったが、艦隊の指揮者が辞任するのは反対でした」と証言している。

今になって思えば、これ程重要な作戦計画を、最終決定者である軍令部総長がこのような経緯で決めてしまって良いものだろうかと思わざるを得ない。陸軍に劣らず海軍も合理的機能集団ではなく典型的な「共同体組織」であった（一方で、永野は裁判中、弁明は一切せず、責任の一切は自らにあるとして山本五十六に真珠湾攻撃の責任を押しつけようとはしなかったといわれる）。

一方、奇襲攻撃を受けた米国側の評価が気になるところである。

真珠湾攻撃については、戦術的には極めて高い評価を得ているが、戦略的には厳しいものが多い。

ヘンリー・スティムソン陸軍長官は回顧録で以下のように述べている。

「タイ、オランダ領東インド諸島、あるいはシンガポールといった地域への公然たる攻撃に限定することで、日本はアメリカ国内で深刻な意見の対立を生じさせることもできた。略……一九四一年のこの危機において、攻撃対象のひとつに細切れの攻撃を加えることで、アメリカ国内を分裂させる方法を取らなかった日本の侵略者たちは、深刻な計算間違いを犯した」

当時、アメリカ人の多くは、東南アジアにおけるヨーロッパ列強の植民地支配には否定的であった。従って、英国の植民地であるビルマ、マレー・シンガポール、そしてオランダが支配する蘭印（インドネシア）のために、「若者を戦場に送る」ことは世論の反対もあって、容易い話ではなかったのである。

もし東南アジアでも米国植民地フィリピンの場合も米国土ではない。米国有数の海軍基地があるわけではない。最初の攻撃がフィリピンであった場合、真珠湾と同じような米国民の圧倒的な支持を得られたとは言い難い。

真珠湾攻撃研究の第一人者であるゴードン・W・プランゲの評価も手厳しい（彼は、多くの日米両当事者と面談・事情聴取したアメリカの歴史学者であった）。

日本の真珠湾攻撃は、戦術的にはすぐれたものであり、政治的には百害あって一利のないものであったが、戦略的にはどうであったであろうか。言葉をかえて言うならば、ハワイ攻撃ははたして必要であったかどうか。その必要はなかったと考えるアメリカ人は多い。日本がアメリカの太平洋艦隊とアジア艦隊とを無視して、その全兵力を南方地帯のすみやかな攻撃に注ぎこんだならば、アメリカの艦隊が民主主義のしきたりのためにその行動を起こすのがおくれている間に、南方にその地歩を固めることができたかもしれない、と彼らは信じている。当時、アメリカの世論が割れていたことからみて、アメリカ艦隊が行動を起こすにはかなりの時間がかかったかもしれないからである（ゴードン・W・プランゲ著、千早正隆訳『トラ　トラ　トラ』〈並木書房、一九九一年〉より）。

キッシンジャーは、その著書（岡崎久彦監訳『外交』日本経済新聞社、一九九六年）の中で、「日本がその攻撃を東南アジアだけに集中し、ヒトラーが対米宣戦布告を行わなかったら、国民を自分の意見通りに導くというルーズベルトの仕事はずっと複雑だっただろう」と語っている（キッシンジャーは、最終的にはアメリカを参加させただろうとしているが、真珠湾攻撃はそうした懸念をいっぺんに吹き飛ばしたのである）。

ディック・レイア著、芝瑞紀／三宅康雄／小金輝彦／飯塚久道訳『アメリカが見た山本五十六』（原書房、二〇二〇年）には、当時のアメリカ人が山本をどのように見ていたかが書かれている。

アメリカにとって、山本は「極悪人」だった。真珠湾攻撃のあと、数週間から数カ月のうちに、アメリカ国民の意識は山本に向けられた。

過激な山本批判は、戦争を煽るためのプロパガンダに利用されていたのだ。そして、いつの間にか、アメリカ人にとって真の敵はナチスではなく日本になっていた。米国で行われた、ある世論調査では六十二％が欧州での戦争よりも対日戦争の優先を支持していたと言われる。

山本五十六の懐刀であり、山本を慕っていた大西瀧治郎中将は、山本亡き後の一九四三年九月、親しい友人に真珠湾攻撃に関し以下に語っていた（生出寿『凡将山本五十六』〈光人社NF文庫、二〇一八年〉より）。

「あれはまずかったんだよ。あんなことをしたために、アメリカ国民の意志を結集させてしまったんだ。それがいま、開戦にあらわれてきつつある」「……山本さんは真珠湾を攻撃して、戦艦を叩いたんだ。山本さんの意見では日米両国民の間に戦艦に対する尊敬心があるから、戦艦を屠った場合の心理的効果が大きい、というんだ」

既述したように、山本が及川海相に提出していた書簡には、「開戦劈頭に敵主力艦隊を猛撃、撃破して、米国海軍および米国民をして救うべからざる程度にその士気を沮喪せしむること是なり」と書いていた。

まったく当てが外れたのである。錯誤にしてはあまりにも致命的であった。

十月六日には、陸海軍部局長会議で岡敬純海軍省軍務局長は、「フィリピンをやらずにやる方法を考えようではないか」と言い始めていたが、十九日には海軍内部では、真珠湾にひっくり返されたわけである。

あくまで後世の後知恵であるが、米国の意図を見抜き、裏をかいてフィリピンを素通りして相手が先に攻撃を仕掛けてきた時に初めて、宣戦布告すればよかったのではないか。元軍令部第一部長をつとめた中澤佑中将は、戦後「真珠湾攻撃反対論」の中で、戦争は飽くまで大義名分を明確にし、相手国より仕掛けられた如く列国に印象、喧伝する必要がある、と述べている。

アメリカ人の八十%以上は戦争参加に反対していたのである。ルーズベルトは、日本よりも国内の孤立主義を恐れていたのだ。わざわざ米国民を刺激する作戦をこちらから仕掛けたのは間違いであった。

更に、短期講和というが、仲介役がいなければ難しい。

日露戦争の時の同盟国は英国であった。当時の英国は世界の覇権国家であり、世界の四分の一の版図を押さえ、ポンドは世界の基軸通貨であった。そしてこの英国に加え米国も戦費の調達や講和（仲介）に入ってもらっていた。今回、この時の英国にあたるのが「持たざる国」ドイツであり、米国の役割を担ってくれるものは存在しなかった。

ましてや、アメリカ人の気質からして緒戦の大敗で自ら講和を申し出ることなどあり得ないいなかった。

であろう。一撃を受けると委縮しがちなのは日本人の方であり、アメリカ人の気質を理解して

山本は通算七年にわたり、アメリカに駐在している。アメリカの国力を知悉し、この国とは絶対戦争出来ないとの認識から三国同盟に命を掛けて反対した。

しかし「真珠湾でアメリカを叩いて、早期講和に繋げる」、ここは大きく間違っていた。真珠湾攻撃によって、アメリカ人を本気で怒らせてしまい、早期講和の道を自ら断ってしまったのだ。

開戦後の一九四三年二月に、ルーズベルトはカサブランカ宣言で「無条件降伏」しか認めない声明を出す。米国以外の英国やソ連がドイツや日本と、米国にとって参戦のメリットがない状況のまま勝手に講和出来ないように釘を刺したのだ。そして、ドイツも日本も最後の一兵まで戦わざるを得なくなってしまった。これにはチャーチルも蔣介石も、そしてスターリンでさえ反対したと言われている。

米国は参戦した以上、日露戦争のような限定戦争で終わらせる気はなかったのである。

そして、敵に先に手を出させて、あとで国民の敵性感情を煽るのは米国のいつものパターンである。「リメンバー・メリー号」も「リメンバー・アラモ」もさらには、米国が第一次大戦

に参戦するきっかけとなった「リメンバー・ルシタニア」も「リメンバー・パールハーバー」と同じパターンであった。

更に言えば、真珠湾の場合、「トレッチャラス・スニーク・アタック、リメンバー・パールハーバー」であり、トレッチャラス・スニーク・アタック、つまり卑劣な騙し打ち、まで付言されていたのである。

しかし、真珠湾攻撃をすべて山本五十六の責任とするのはあまりにも酷な感じがする。

彼はもともと戦争に反対していたのだ。外交によって真珠湾攻撃が行われずにすむことが彼にとっての上策であった。

軍令部と連合艦隊が真珠湾攻撃か漸減作戦かを大激論しているとき、大本営政府連絡会議では、外交か戦争か、喧々諤々の議論が行われていた。

荻外荘

十月十二日は近衛文麿首相の五十回目の誕生日であった。

この日、近衛首相、東條陸相、及川海相、豊田外相、鈴木企画院総裁が荻外荘（近衛文麿邸）に集結し時局打開に向けた話し合いが行われた。

九月六日の御前会議で、天皇は、明治天皇の御製である「よもの海みなはらからと思ふ世になど波風のたちさわぐらむ」（世界が平和であれと願っているのに、どうして波風が立ち騒ぐのであろう）を詠み、避戦の意思を明確にしており、近衛は、戦争準備を開始する前に、何とか外交で解決するように釘を刺されていた。

そして、外交交渉の目途は十月上旬とされていた。

近衛は、ルーズベルトとの直接会談で決着することに最後の望みを託していたが、既述したように十月二日にはハル国務長官から拒否の回答を貰っていた。

米国は、石油禁輸解除の条件として四原則を掲げて譲らなかった。

つまり、中国、仏印（ベトナム）からの撤退、蔣介石政権を認めること、満州の機会均等、太平洋の現状維持、更には三国同盟の離脱（死文化）がこれに当たる。

陸軍にとって一番の難題は、中国からの撤退である。撤退となると満州も危なくなり、満州から兵を引くことはソ連が南下してきた場合の緩衝地帯を失うことになる。そして緩衝地帯がなくなれば朝鮮も危なくなるということであり、それは明治以降積み上げてきたものをすべて手放すことに繋がる。

更に、三国同盟からの離脱となると完全に米国の軍門に下り三等国に転落してしまうとも考えた。陸軍はこの事態をどうしても受け入れることが出来なかったのである。

そして陸軍は、この頃には戦争しかないと考えるようになっていた。

参謀本部の作戦課はドイツの勝利を疑っておらず、独ソ戦勝利の次には英国を屈伏させるだろう。そうすれば米国も継戦意思を喪失し局面打開の道が見えてくるはずだと考えていた。若手将校たちは戦争準備が整っていない米国に対し、やるならば早い方が良いと指導部を突き上げ、東條はそれらを何とか抑えていたのが実態であった。

荻外荘では、日本の命運を決める激論が交わされていた。

東條陸相「外交交渉で決着をつけられる確信があるならば、戦争準備はやめるが、確信がないのなら準備を進める」

豊田外相「まだ目途はある。問題は中国からの撤退（駐兵）である。ここを譲らないと交渉は進まない。陸軍として何とか妥協出来ないか」

東條陸相「アメリカは、撤兵の時期を明確にしろと言ってきている。妥協の意志はない。中国から撤退しては十万の英霊に申し訳がたたない。私が陸軍を抑えてきた。もし撤兵でもしたら、若手将校がなにをしでかすかわかりませんぞ」

近衛首相「戦争に私は自信がない。外交以外の選択肢はないと思う。戦争したいなら自信がある人がやればよい」

東條陸相「戦争に自信がないとは何ですか。九月六日の御前会議で、十月上旬までに外交の目途が立たねば戦争準備ときめたではないですか。今更なんだ」

「日本では、統帥は国務の圏外にある。総理が決意しても統帥部との判断と合わなければ不可能である。政府と統帥の意見が合い御前会議での決定を必要とする」

「ところで及川さん、海軍の考えを聞かしてもらいたい」

及川海相「やるかやらぬかは、総理が判断することではないですか。外交でやり戦争をやめるならばそれでよし」

実は、及川はこの荻外荘会談の前の十月六日、海軍会議の中で、中国撤兵問題は陸軍の問題であり、このことが引き金となって対米戦争になった場合、戦うのは海軍である。こんな馬鹿なことあるか。陸軍と喧嘩してでも戦争に反対するべきであると怒りをぶつけていた。これを諫めたのが統帥トップの軍令部総長永野修身であった。彼は総長就任前から戦争不可避論者であった。そして彼が何よりも恐れたのは、陸軍との対決（内乱）である。同胞殺し合いの末、武断派が勝てば、今よりももっと挟撃に戦争に突入するであろう、と側近に語っていた。ギリギリのところで海軍は一枚岩にはなれなかったのである。

そして、「海軍は出来ぬ」という一言を近衛は期待していたが裏切られたかたちとなってしまった。

中国からの撤兵については、近衛は「米国が満州さえ認めてくれれば、中国、ベトナムから兵を引く」と考えていたと思われるが、東條は、「中国から撤退し米国が駐兵を認めないのであれば、いずれは満州も危うくなる。日本が去った後の中国には共産主義が入って来る。これは看過出来ない」と主張していた。

この頃、東條は近衛に、「人間、たまには清水の舞台から目をつぶって飛び降りることも必要だ」とも語っている。

近衛も優柔不断過ぎたのだ。日中戦争について、陸軍参謀本部が多田次長を筆頭に不拡大・早期和平論を強く主張するにもかかわらず、尾崎秀実、海相の米内光政らに突き上げられ拡大派に与したのが近衛本人であり、三国同盟を締結した時の首相も近衛であった。この近衛が親米路線を模索しようというのであるから、周りからは無定見に見えてしまうのだ。

また近衛は、荻外荘会談の一カ月前、九月十二日に、連合艦隊司令長官の山本五十六を招き、日米戦の見通しについて確認している。この時、山本は、「ぜひ私にやれといわれれば、一年や一年半は存分に暴れてご覧に入れます。しかし、その先のことは、まったく保証できません」と回答している。山本も日米戦絶対不可ならば、きっぱりと「勝てる見込みはない。日本海軍は英米と戦って勝てるように出来ておりません」と回答するべきであった。この回答では、優柔不断な近衛には危機感として伝わらず、逆に一年半はなんとかなるのか、というメッセージになってしまったはずである。山本を高く評価する歴史家の間でも、この時の山本の近衛に対する回答については厳しい指摘が多い。

このあと、十四日の閣議で再度協議するが、東條をはじめ閣僚たちは同じ主張を繰り返すばかりだった。近衛は完全に行き詰まっていた。米国は原則論を押し付けるだけで話し合いにのる気はない、そしてルーズベルトとの直接交渉も拒否された、陸軍からは妥協を引き出せず、海軍から「対米戦は不可」との回答を期待したが……。

この時、及川がはっきりと近衛を支持して「海軍は出来ない」と言っていれば、その後の歴史は変わったかもしれない。

万策尽きた近衛は四日後の十六日に内閣を総辞職する。

開戦決定する

天皇が次の組閣を命じたのは東條だった。東條を推したのは内大臣木戸幸一であった。これは一種の逆転の発想で、東條をもって強硬派の陸軍を抑えようとしたのである。一方で東條の天皇に対する忠節は抜きんでており、天皇の聖意を実行できるのは彼しかいないと考えられた。「虎穴に入らずんば虎子を得ず、だね」と天皇は木戸に語ったといわれる。そして木戸は陸軍を抑えるため、東條に陸軍大臣も兼任させる。国務と統帥を一致させるための配慮である。そして、東條は、天皇から九月の決定を一旦白紙にして、もう一度対米戦争回避に力を尽くすように直接指示された。昭和天皇は、組閣の際に条件さえつけておけば、陸軍を抑えて順調にことを運んでゆくだろうと思った、と語っていた。

東條首相就任で陸軍強硬派は沸き立った。これでモヤモヤは払拭され、戦争準備に突入できる。しかし、東條の心境は違った、お上の聖意は外交重視である。東條は、早速、今後の方針について再検討するように関係者に指示を出した。期待に反した東條の動きに対しては、既に開戦を覚悟していた陸海軍の参謀たちの多くは、「東條はそんな腰抜けだったのか」と失望を隠そうとはしなかった。首相になる前までは、強硬派の頭目であった東條としては、非情に辛い板挟みであったであろう。東條は杉山をはじめ軍指導者に対し「陛下の聖慮（考え）を何とこころえるか」と訴えたが、なびくことはなかった。

更に、「何をもたもたしている」「腰抜け東條」と世論やマスコミの激しい突き上げにもあっていた。

東條は、日中戦争を拡大したことを悔やんでいたかもしれない。

日中戦争に対し、一九四〇年頃には自発的に撤兵しようという動きが出始めたにもかかわらず、ドイツの快進撃で浮足立ってしまった。早く日中戦争を終結させて和平を実現させたかったが、その中国を支援し戦争終結を邪魔しているのが英米と考えるようになる。

今から思えば、一種の被害妄想に近い状況にあったのかもしれない。

米国の歴史家であるピーター・ドウスは、日本人は幕末以来、自国を常に外国から包囲・攻撃される立場だと考え、それは世界的強国となったこの時点でも変わらなかったと、指摘している。確かに、隣国のアヘン戦争を知って、このままでは日本も西欧の植民地になってしまうと考え、この危機感が幕末と明治維新を支えたわけである。そして、これが現実の危機として顕在化したのがロシアの南下とロシア革命（ソ連の出現）であった。うかうかするとやられてしまうという被害者意識が、今度は英米に対し向けられてしまったのである。

武藤章軍務局長（陸軍省の実質ナンバーツー）は、自分が中国で戦線を拡大したことを悔やんでいた。日中戦争不拡大を主張する当時の石原作戦部長に盾ついて「あなたがやった満州事変のやり方を真似ただけです」と中国をなめてかかり戦線拡大を招いてしまった。そして「南京をやったら敵は参る」と主張したが、敵はさらに奥の重慶に逃げ込み日中戦争は泥沼化していった。出先で積極的に戦線を拡大していった分、国内での不拡大発言は、変わり身の速さとして受け取られてしまっていた。今度はアメリカであり、太平洋で戦線拡大したら中国大陸どころではない。

そこで武藤が考えたシナリオは、海軍に対米戦不可を言わせることだった。対米戦を実際に行うのは海軍であり、海軍が「アメリカとは戦えない」と言ってくれれば、陸軍も反対できない。この線で密かに根回しを始めていた。

武藤は、十月上旬内閣書記官室の富田健治に「海軍が戦争に自信がないなら会議ではっきりと言うように海軍に話してくれないか。陸軍は俺が上手く収めるから」とお願いする。富田は武藤の依頼を海軍省のキーマンである岡敬純軍務局長に伝えるが、答えは「首相に一任するしかない」と及川海相と似たようなものだった。更に富田は、永野軍令部総長にも話をもってゆくが、「そんなことが言えるものか」とにべもなかった。

この時、海軍は米国と戦争する決意はなかった。

それならば、海軍が「米国とは戦えない」とはっきりと言うべきであった。そうすれば面子を何よりも重んじていた東條も陸軍強硬派に対し言い訳が出来る。そして戦争回避の責任を一身に背負った海軍も当面「腰抜け」呼ばわりされることになるが、最後は石油の輸入が戻れば、あとは中国との和平を進めて漸次米国から譲歩を引き出すしかない。

そして今度は及川海相と豊田外相が、鈴木貞一企画院総裁の処に行く。

「企画院総裁が御前会議の前に、戦争は絶対にできないと陛下に内奏してもらいたい」

鈴木はにべもなく「海軍からはっきり出来ないと言うべきだ」と突っぱねていた。

典型的な官僚的責任回避である。しかしそれだけではない。

残念ながら、この時の日本の意思決定は全会一致が原則であった。大本営政府連絡会議、名称の通り連絡会議であり、政治（陸相、海相）と統帥（参謀総長と軍令部総長）は同格になり、意見が割れた時のセンター、責任者がいなかった。そして最終的な国策決定の場であるはずの御前会議は、まったくもって形式的な会議に過ぎなかった。戦後、東京裁判で鈴木貞一（企画院総裁）は、「御前会議は癌だった」と答えている。昭和天皇ご自身も「実に厄介な会議であった」と回想している。

はっきりいって大日本帝国憲法に欠陥があったのである。

憲法は不磨の大典ではない。「統帥権の独立」という根本的な不備がありながら憲法改正の論議を避け、解釈論争で逃げてきたのが間違いであった。

本来、首相だった近衛が「戦争に自信がない。出来ない」と言えば終わりに出来たはずである。

＊統帥権
軍隊を統率し指揮する権限のこと。明治憲法では天皇大権に属している。一般の国務からは独立し、参謀総長、軍令部総長の輔弼によって行使される。

＊大本営政府連絡会議
原則として政府側（総理大臣、陸軍大臣、海軍大臣、外務大臣）、軍部側（参謀総長、軍令部総長）の六人が出席する。また内閣書記官長、陸軍省軍務局長、海軍省軍務局長が陪席で加わり、議題によって内務大臣や大蔵大臣も出席することがあった。

東條内閣の組閣で海軍大臣は、及川古志郎から嶋田繁太郎に代わっていた。

嶋田は作戦にかけては、第一人者であり、本来は連合艦隊司令長官が適任の人物であった。一方、山本は、ロンドン海軍軍縮会議予備交渉の海軍側首席代表を務めるなど本来軍政畑出身であり、海軍大臣にむいていた。ロンドンでの軍縮交渉は決裂したが、その交渉力は英米側を唸らせるほどのものであった。本人も「連合艦隊司令長官より海軍大臣になりたい」と発言していたとの話もある。残念ながらこの時の海軍は適材適所という観点からちぐはぐな感じが否めないのである。

案の定、嶋田は過去の交渉経緯も分からず、確かな定見もないまま流されていく。もし海軍大臣が山本で、最後まで開戦に反対した場合、連絡会議で全会一致がならず、終戦時と同じように天皇に「聖断」を仰ぐというシナリオはあったかもしれない。戦争末期の段階で近衛は、「山本五十六大将なら日米戦争を回避出来たかもしれない」と答えていた。更には、終戦直後、ポツダム宣言の受諾に際し、鈴木首相が、全員一致がならず天皇に「聖断」を仰ぐやり方を採用したことを知って、「その手があったか」と答えたと言われる。

話をもとに戻す。

このころから海軍指導部の考え方も徐々に変わり始めていた。もともと海軍には、軍務局第二課長の石川信吾を中心とした親独・対米強硬派が隠然たる力を持っていた。そして対米戦を起こすのであれば「今しかない」と訴え上層部を突き上げていた。彼らの主張の根拠となっていたのが、「海軍兵力が対米七割になった」という事実である。ワシントン軍縮会議や、そのあとのロンドン軍縮会議でも海軍は対米六割では勝てない七割ならば潜水艦や飛行機を有効活用すれば何とか五分に持っていけるというのが基本的な考え方であった。

一九四一年秋時点の戦力比較をしてみたい。

日米艦艇数が、日本は二百三十五隻、総トン数九十七万五千七百九十三トン（戦艦、空母、巡洋艦、駆逐艦、潜水艦など）、米国は三百四十五隻、総トン数百三十八万二千二十六トン（同）で、日本海軍の対米比率は七十・六％というデータであった。ちなみに航空機は日本が三千八百機、米国は五千五百機でこちらは六十九・一％であった。

空母勢力は、日本十隻（二十万トン）、米国八隻（十六万トン）と日本優位、開戦後すぐに大和・武蔵も竣工する。更には、航続距離が米軍機と比較して圧倒的に長いゼロ戦も加わることになる。当時の米国主力戦闘機であったＦ４Ｆ（ワイルドキャット）ではゼロ戦にはまったく歯が立たなかった。そして米国は戦力を大西洋にも展開しなければならない。

実は、海軍の一部は、複数のインテリジェンス（通信傍受や米国資料）から、米国戦艦主砲の命中率は日本の三分の一であると認識していた。さらに、艦隊決戦で日本の零戦が制空権を握り、九一式徹甲弾を使用すれば、対米戦力差は解消出来るかもしれないと考えていたと思われる（九一式徹甲弾：敵艦の手前に落下した砲弾が、そのまま魚雷となって艦に命中し、遅延信管によって艦内に達してから爆発する画期的な砲弾）。

「一年か二年ならば、何とかなる」海軍は、そのように考え、そして緒戦で大戦果を挙げれば、米国は短期講和に乗ってくると考えた。

米国の軍艦建造能力は、日本の四・五倍、飛行機に至っては六倍であり長期戦となると苦しくなる。

米国の艦隊計画（ビンソンプラン）は、戦艦三十二隻、航空母艦二十隻を根幹とする大艦隊計画であったが、実現は数年先の話であった。

（日本軍は、米国の大規模攻勢の時期を一九四三年以降になると考えていたが、実際は一九四二年から始まってしまった）

そして山本長官が計画していた真珠湾攻撃は、年末でないと成功は覚束ない。一九四二年になれば、ハワイ方面は北航路上に台風並みの低気圧が発生するため、やるならば今しかチャンスはない。時間がたてばたつほど日米差は開き、油が減っていく。また海軍がこれ以上反対すれば陸軍と反目し、深刻な対立に繋がってしまい、軍部が割れる、これもよくない。更にマスコミが「英米何するもの　早期開戦」と政府を突き上げていた。米国を仮想敵国とし、散々予算を取ってきたにもかかわらず、いざ戦えないとあっては面子の問題もあったかもしれない。

そこに、元軍令部総長の伏見宮が「速やかに開戦しなければ戦機を失す」と嶋田にプレッシャーを掛けてきた。嶋田は十月三十日には戦争を決意する。そして資源確保のための予算取りに動くようになってゆく。開戦反対の牙城の一つが崩れ去っていた。

そして、海相の嶋田に対し、統帥トップの永野も「戦機は今である。好機はそんなに来ない」と明言しており、海軍は国政（政治）と統帥（作戦）が一致して開戦に向けて腹を括ってしまったのである。

本当に戦争回避を優先するのであれば、日本海軍の優位性を抑止力として米国に対し積極的に公表するべきであった。真珠湾攻撃の前までは米国も大鑑巨砲主義である（真珠湾とマレー沖海戦の戦訓によってアメリカ海軍は空母主力に立て直しを開始したのであって、当時は戦艦が主力であった）。

開戦直後の十二月十六日に就役した戦艦大和、そして翌年夏に就役予定であった武蔵に米国艦隊はまったく太刀打ちできないことはすぐに理解されるはずである。ノックス海軍長官は「日本如きは三カ月で十分」と言っていたように、米国の首脳部は日本を甘く見ていた。一方、現場の将官たちは日本海軍の組織力や練度の高さを熟知しており、ゼロ戦に制空権を握られた上で、大和を中心とした連合艦隊との決戦となれば、「戦いたい」とは思わなかったはずだ。

もしトップから「勝てるか」と質問されれば合理的機能集団である彼らは「当分勝てる保証はありません。勝てるのは戦備が整う一、二年後になります」と回答するはずである。もともと海軍作戦部長のハロルド・スタークは日米和平派であり、日本側からの情報開示はホワイトハウスでの彼の立場を有利にしたと考えられる。

あらためて申すまでもなく、孫子が言った「兵は凶器なり、戦わざるを以て上乗とす」、これが軍備の第一課である。海軍は「艦隊保全主義」（決戦を避けて艦隊を温存することにより、艦隊の潜在的な能力を抑止力に活用する）を貫徹するべきであったのだ。

話をもとに戻す。

天皇の意向を受けた東條は、国策の再構築を十一月一日までの七回にわたる大本営政府連絡会議によって協議した。

そして、一案：臥薪嘗胆（戦争を避ける）、二案：即時開戦、三案：戦争準備と外交を並行、のいずれかで決着させることになり、一案を考えていたのは、東郷外相と賀屋蔵相であったが、陸軍参謀総長が二案で譲らず、結局三案で進めることになる。

「アメリカ側の提案を全面的に容認したら日本はどうなるか」という議題については、出席者の多くは、「三等国となる」との発言をしている。

中国から撤退となれば、そのあとに米国の資本か共産主義が中国に浸透することになり、それは日本が明治以来積み上げてきたものを手放すことになる。

そして、アメリカに膝を屈して石油を媚びなければならないような「奴隷国家」にはなりたくない、というのが軍部指導者の本音だったであろう。

海軍軍令部総長の永野修身は、九月の御前会議のあと、「戦わざれば亡国と政府は判断されたが、戦うもまた亡国につながるやもしれぬ。しかし、戦わずして国亡びた場合は魂まで失った真の亡国である」と述べていた。この手の運命論は陸海軍の多くの指導者に共有されていた。

三国同盟問題については、同盟義務による自動参戦を避けることで全員一致した。

そして海軍である。陸軍は南方作戦に絶対の自信を持っており、米国との決戦は海軍が中心であり、海軍の意向が最大の焦点であった。

嶋田は、資源確保を参戦の争点に動いた。

「物資について、ニッケル、鉛、亜鉛などを海軍に優先的に配給して欲しい」

「鉄については、当初の八十五万トンの割り当てを百四十万トンにして欲しい」

鉄については陸軍も横やりを入れたが、企画院が間に入り、民間分と陸軍分を減らし、海軍を百十万トンにする妥協案を提案する。

杉山参謀総長は吠えた。「百十万トンなら海軍は開戦を決意出来ますか」

嶋田は、この時に無言で頷いたと言われている。

この瞬間、戦争の「賽は投げられた」のだ。

もう一つ、軍事・経済面で焦点となったのは、輸送船舶量の見通しであった。海軍は、「資材確保を条件に、緒戦の二年は確算あり」と明言していた。そうなると緒戦で南方の石油を確保した後の、輸送船舶量の推移に焦点が当てられることになる。

海軍軍令部の推定によると、被害予測は最初の三年間で百十万トンから八十万トンに低下する。一方、造船力については、一年目は四十万トン、二年目は六十万トン、そして三年目には八十万トンに増大できるとの報告があった。楽観的過ぎやしないかとの指摘も出たが、今更

「出来ない」と報告する空気ではなく、都合の良い前提条件を積み上げた作文であったといえる。

実際、太平洋戦争開戦時に日本は六百四十六万総トンの船舶を保有していた。以後、終戦までに新造や拿捕等で三百六十三万総トンが追加されたが（年平均約百万トン）、主に米軍の潜水艦および爆撃機、空母艦載機の攻撃により八百四十三万総トンが失われ（年平均約二百三十万トン）、終戦時には百六十六万総トンしか残存していなかったのである。被害予測が決定的に甘かったと言える。


次に、激論が交わされたのは、外交交渉案である。

ここで決定した外交交渉案を米国が受け入れなければ戦争となる重要な内容である。

外相は、豊田から東郷に代わっていた。あのノモンハンでのタフな交渉力でモロトフ外相を唸らせた人物である。


東郷は、甲案と更に突っ込んだ乙案を外務省案として提出する。

この案は、外務省の長老で親英米派と目された幣原喜重郎と吉田茂元イギリス大使がこの日の東郷のために検討したものである。東郷もこの案件であれば外交交渉がまとまるかもしれないと納得していた。

三国同盟については、日本の意志で履行する。つまりドイツと米国が戦争しても日本は自動参戦しないということで米国を説得する。

問題は、中国からの撤退、駐兵である。期限付きでないと交渉にならないと東郷が主張し参謀本部が反対する形で大激論になる。

東郷「日本のおかれた事情については、全力をあげてハル国務長官やルーズベルト大統領に説明します。しかし、中国撤兵には応じなければ交渉にならんのです。陸軍にも事情があるかとは思うが、二年撤兵にご同意いただければ対米戦は避けられる。戦争を回避するためにこの点は是非とも譲歩して頂きたい」

そのあと、「香港の例もある。九十九年ではどうか」といった無責任な発言が飛び出す。

東條からは、「五十年はどうか」と提案してきた。

東郷としては、陸軍が日中戦争を解決できなかったことが、この事態を生んだというのに、何をいうかと、一歩も譲る気はなかった。

そもそもこの内閣は、九月六日の御前会議の決定事項である、十月上旬までに外交交渉が決着しなければ対米開戦と決めたことを白紙還元して、もう一度外交で何とかならないか検討して欲しいという陛下の強い意向を受けて発足したはずである。それならば、と外相を引き受けたのである。

東郷は、叫び出したい気持ちを抑えて、何とか冷静さを保っていた。

「五十年といえば半世紀です。この間に世界情勢はどう変わるか計り知れない。アメリカが話に乗ってくるとは思えません。たぶん歯牙にもかけないでしょう。五十年駐兵など長すぎます」

杉山参謀長からは「それなら二十五年だ。二十五年でなんとかならんか」

東郷は拒否し「最低五年、五年でないと交渉になりません。これ以上は無理だ」

これには東條が割って入る「五年では短すぎる。戦った年月と同じではないか。これ以上は無理だ。死んだ英霊に申し訳がたたない。今度は外相のほうこそ譲歩してもらいたい」

東條からすれば、大陸での戦闘では日本が勝っているのに何故、手ぶらで撤退しなければならないのか。米国に屈して撤退となると現地の軍は納得しないだろうとの気持ちが強くあったはずである。長い激論の末、結局二十五年で決する。東郷としては二十五年では米国が妥結するとは思えないが、取り敢えず陸軍から期限付き撤退までの譲歩を引き出すことが出来た。あとは米国サイドと再交渉しながら妥協点を探るしかないと考えた。

もし甲案がダメな場合、最終案として「乙案」を出すことを東郷は提案する。

「乙案」は、米国が石油禁輸を実施する前の状態に戻すことが骨子となっていた。

先ずは、日本は東南アジア及び南太平洋諸地域に武力進出を行わないことを確約し、南部仏印駐留の兵力を北部仏印に移動させせる。これに対し、米国は石油輸出を再開することを確約するというものであった。

これに対しても陸軍が嚙みついた。南部仏印撤退は国防上絶対に呑めないと参謀本部（杉山と次長の塚田）が反論した。

東郷は、南部仏印からの撤兵がないと米国側に日本の誠意は伝わらず交渉にならないと反論、辞職を匂わす騒ぎとなった。

一旦休憩となり、武藤軍務局長が「このままでは東郷が辞表を出して倒閣する。交渉不成立となった場合に陸軍は責任を取れるのか」と参謀本部を説得し、乙案で進めることになった。

しかし妥協案として、仏印からの撤兵の条件として日中和平成立後という条件が追記され、米国は日中和平の邪魔をするなという文言が加えられた。乙案は骨抜きにされた。

最後は、交渉期限である。

海軍からは「十一月二十日までなら外交をやってもよい」との主張があった。

参謀本部塚田次長は「十一月十三日までなら認めるが、それ以上はダメだ」

東郷は「そんな短期間で外交が出来ると思いますか。何故十三日なのか」

塚田は「統帥に関わる話だ。詳細は言えぬ」

陸軍の南方作戦を展開する東南アジアは、年が明けると季節風が吹き始め雨期に入り部隊の上陸に不利だった。従って、一日も早く開戦したいのが本音だった。

東條が割って入り「それでは三十日一杯でどうだ」

この案が通り、外交交渉は十二月一日の午前〇時までとなった。

大本営政府連絡会議は十一月二日の午前二時まで続いた。

東郷外相と賀屋蔵相は最終結論に不同意のまま散会となる。東郷としては乙案（外務省最終案）が骨抜きにされたことが受け入れられなかったのである。

翌朝、東郷は外務省の大先輩である元首相の広田弘毅に相談している（広田は、城山三郎の小説『落日燃ゆ』の主人公である）。

広田からは「きみが辞めれば、東條は対米強硬派の人間を外相にするだろう。そうなれば歯止めがきかない。きみはあくまで閣内に止まって交渉成立に全力をあげるべきだ」

東郷は辞任すれば戦争をはじめた責任を免れるが、敵前逃亡したとは言われたくない。意を決し留まることにした。

賀屋も閣内に留まる決心をしていた。二人は首相官邸を訪問し、東條に連絡会議決定内容に同意するむねを告げた。彼らは、もしこれ以上抵抗すれば、クーデターが起こり、更に厄介な事態が招来することも想定していたはずだ。現代の我々は彼らを非難することは出来ないだろう。

この日の午後、東條は杉山参謀総長と永野軍令部総長と天皇に最終結論を報告にゆく。

東條は天皇の前で報告を行いながら号泣したといわれる。決定内容を読みながら、冷静に考えてみれば中国からの撤兵期限二十五年などで米国が納得するわけがないこと、これでは戦争を回避できないこと、陛下の意思に反したことを、慚愧したのだ。

東條首相について重光葵は『巣鴨日記』で、「彼は勉強家である。頭も鋭い。要点を摘まんでゆく理解力と決断とは、他の軍閥者流の遠く及ばざる所である。惜しいかな、彼に宏量と世界的知識とが欠如しておった。もし彼に十分な時があり、これらの要素を修養によって具備していたならば、今日のような日本の破局は招来しなかったであろう」と言っている。

戦後行われた東京裁判で、東條は絞首刑になる。一方、戦争回避に精魂を傾けた東郷も禁錮二十年の判決を受ける。

陸軍の中で戦争回避に奔走した武藤も絞首刑になる。

武藤は、開戦後は早期和平を東條に進言するが受け入れられず、開戦翌年の一九四二年四月に中央を追われ近衛師団長としてスマトラ島に赴く。そして、最後はフィリピンで終戦を迎えていた（ゾルゲへの軍事情報の提供が左遷の引き金となったとの指摘もある）。

東京裁判での判決後、東條は武藤に「巻き添えに遭わして気の毒だ。まさか君を死刑にするとは思わなかった」と語ったと伝えられる。

ハルノート

甲案・乙案を受け、野村駐米大使は二段構えで外交交渉に臨むことになる。

野村は先ずは十一月七日に甲案を出す。

しかし、米国側は既に日本の甲案も乙案も暗号解読しており、乙案が日本の最終案であることも事前に知っていたのである。あとは戦争準備が完了するまでの時間の引き延ばしである。

ハル回想録には、「ついに傍受電報に交渉の期限が明記されるにいたった。略……十一月二十五日までにわれわれが日本の要求に応じない場合には、アメリカとの戦争も敢えて辞さないことを決めているのだ」

しかし、米国は戦争準備が出来ていなかった。

特に問題となったのは、フィリピンである。この時のアメリカ極東軍司令官は、マッカーサーであった。彼は、急ぎ基地の強化を進めていた。しかし完成まであと数カ月は必要だとみていた。マッカーサーは、日本軍の上陸を阻止するには、一九四二年の春までに二十万のフィリピン軍と航空機（B17、七十四機）や戦車が配備される必要があることを主張し、準備を進めていた。ルーズベルトも準備不足であることは十分に承知していた。従って、早期の対日開戦を強く求めるチャーチルに対して、「あと数カ月、赤ん坊（日本）をあやす必要がある」と語っていた。

陸軍長官スティムソンは、戦争となれば準備は出来ておらず、最低三カ月は欲しいと訴えていた。そこで米国は時間稼ぎのための「暫定協定案」を策定する。「幻の暫定協定案」といわれたものである。そこには、日本は南部仏印から北部仏印に兵を移動させ二万五千を限度とした駐留を認める。更には、資産凍結を解除し民間用の石油輸出を認めるというもの（そしてこれは、三カ月の臨時的なものとなっている）。

日本の提案を分析し日本が呑めるギリギリの案を検討したのだ。

米国はこの協定案を日本に提示する前に、英国、中国、オーストラリア、オランダの大公使を国務省に招いて根回しするが、中国大使である胡適から強烈な反発をくらうことになる。英国は、既述したように「戦略的持久によるアメリカの参戦」を望んでいた。従って日本に対する妥協的な暫定案に対し冷淡な態度を示していた。

中国も日中戦争を逆転させる機会は日米戦争しかないと見極めており、イギリスを含む各種のルートを使い、暫定案に猛烈に反対する。蔣介石は「何としてもアメリカを日本と妥協させてはならない。それは中国の死を意味する」、「石油を日本に一滴売れば、中国軍兵士の血を一ガロン流すことになる」と駐米大使胡適を通しホワイトハウスに訴えた。また米国政界に影響力を持つ妻の宋美齢とその兄の宋子文にも働きかけ、陸海軍長官を説得するように指示を出していた。更には暫定協定案の内容をマスコミにリークする。「アメリカは日本と妥協し、中国を見捨てようとしている」

蔣介石はチャーチルに助けを求め、チャーチルはルーズベルトに「我々は彼ら（中国）を助けるべきだ」と強く訴えていた。アジアを蔑視していたチャーチルが同情心から中国を支援したわけではない。あくまでも英国の国益のためであった。

そして、最終的にこの暫定案は幻に終わる。

暫定案が潰れた理由は、この中国、英国の反対によるという定説の他に、もう一つ挙げられている。それは、日本の大輸送船断が上海からインドネシアに向けて航行中という情報を、スティムソンがルーズベルトに入れたことで、休戦交渉をしながら、戦争準備を行っていた日本に対してルーズベルトが烈火のごとく怒った、というものである。しかし、ルーズベルトは、一日前の軍事会議で、最初の一撃を日本に撃たせるよう誘導しようと注文をつけている。半藤一利氏も『「真珠湾」の日』で述べておられるが、ルーズベルトが日本を信用して、日本が戦争の準備をしていないと考えて交渉をつづけていた、と考えるのはあまりにも短絡的ではないか。従って、この説は、あとづけの感が強くあまり説得力を持たない。

いずれにせよ、歴史に「イフ」があるのなら、この時もし三カ月の暫定案を出していたら歴史は変わった可能性はあった（後述するが、三カ月後には、独ソ戦におけるドイツ劣勢が誰の目にも鮮明になっていたからである）。

この暫定案に取って代わったのが、対日強硬案として知られる「ハルノート」であった。

＊ハルノートの命名

正式には合衆国及日本国間協定ノ基礎概略（Outline of Proposed Basis for Agreement Between the United States and Japan）であり、アメリカでは一九四一年十一月二十六日アメリカ提案と呼ばれている。その後、交渉のアメリカ側の当事者であったコーデル・ハル国務長官の名前からこのように呼ばれるようになった。

中国、英国の他に日米戦を強く望む、もう一つの大国があった。ソ連である。

ソ連は、日本におけるゾルゲ諜報団のような組織をアメリカにおいて日本よりもはるか大規模に構築していた。

ヴェノナ文書（情報公開法で明らかとなった事実）によれば、二百人を超すソビエトのスパイがホワイトハウスにいたといわれている。代表的な人物としては、以下がいた。

ラフリン・カリー（アメリカ大統領上級行政職補佐官）コードネーム　Page
ハリー・デクスター・ホワイト（財務次官補）コードネーム　Lawyer
アルジャー・ヒス（財務長官補佐官）コードネーム　Ales

この中のハリー・ホワイトは、アメリカ史でもソ連のエージェントかどうかグレーな存在であったが、しかしヴェノナ文書とワシリエフ文書（ソ連の機密文書）の公開によってソ連のエージェントであることがほぼ確定されている。

経済・財務の素人であったモーゲンソー財務長官を補佐していたのが、この中の財務次官補ハリー・ホワイトである（財務省の実質的ナンバーツー）。ルーズベルトは幼馴染で同じハーバード大学の卒業生であったモーゲンソーを頼りにしており、財務関係だけでなく外交面に対しても相談相手として信頼していた（国務長官であるハルは、自分の管轄まで口を挟むモーゲンソーを快く思っていなかった）。そのモーゲンソーの懐刀がハリー・ホワイトであった。

彼は、ＩＭＦの設立にもかかわり、ケインズと並び称される経済界の大物の一人であった。両親がリトアニア系ユダヤ人移民であり、ユダヤ人を迫害するナチスと戦っていたソ連を支援することに対しての抵抗感はあまりなかったのかもしれない。因みに、モーゲンソーも同じユダヤ人であった。

米国内にいる工作員に対するソ連からの指示は「日米を戦わせ疲弊させろ」であったはずである。従って、日本が受け入れることが出来ない最後通牒を作成することがホワイトの役割（任務）になっていたと考えられる。そして彼は、ハルノートの「叩き台」となったモーゲンソー私案の作成を行う。これが「ソ連の工作員がハルノートを書いた」と一部の研究者が主張する根拠となっている。しかし、最終的にモーゲンソー私案をもとにハルノートを作成・提示したのは米国国務省極東部である（極東部顧問のホーンベックは、ホワイト案から経済援助の項目を削り更に過酷なものに修正している）。

対日外交政策におけるホワイトの影響がどこまであったかは、研究者により見解が分かれている。ほとんど影響がなかったとするものから、決定的であったとするものまである。但し、こうした工作があったことは事実であり、キチンとした検証を今後も行う必要がある。

余談になるが、英国の中枢にもソ連のエージェントが多数暗躍していた事実が次々と明るみに出ている。特に有名なのが、ケンブリッジファイブ（ケンブリッジ大学の卒業生五名からなりそう呼ばれた）と呼ばれたソ連のスパイ網である。この中には「二十世紀最大のスパイ」と呼ばれMI6の長官候補になったキム・フィルビー（イギリス秘密情報部ワシントン代表、ソ連に亡命し、没後ソ連で国葬が行われた）も含まれる。他の四名はドナルド・マクリーン（外務省入省後、駐米イギリス大使館の一等書記官、暴露後一九五一年にソ連へ亡命）、ガイ・バージェス（BBC勤務、外務省勤務を経て、暴露後一九五一年にソ連へ亡命）、アンソニー・ブラント（イギリス王室美術顧問）、そしてジョン・ケアンクロスである。彼こそ、アラン・チューリングと一緒にブレッチリー・パークでエニグマの分析官を務めていた人物であった。英国で解読されたエニグマ情報の一部はケアンクロスを経由しクレムリンに伝達されていたのである。スターリンが世界中に展開していた諜報網は広く深い。

日本の尾崎秀実、ホワイトハウスの官僚たち、英国のケンブリッジファイブ等々、エリートの共産主義傾倒は世界的傾向にあったのである。

大恐慌によって資本主義は制御不能となり、必然的に既存の社会システムへの疑念は強まる。一方のソ連は、一九二八年に資本主義的な新経済体制（ＮＥＰ）から本格的な社会主義経済の実現に向けた「第一次五カ年計画」をスタートさせる。これにより工業力は三倍以上に拡大し、世界恐慌の後遺症に喘ぐ資本主義国を尻目に米国に次ぐ工業大国に成長していた（実際は、重工業を最重点におき、食料については都市への供給を優先したため農村では飢餓が頻発していたが、そうした事実はカムフラージュされていた）。

世界中のエリートの多くが、共産主義に憧憬を持ち、「ソ連のやり方の方が良いのではないか」「マルクスが考えたように資本主義は内部矛盾によって必然的に瓦解するのではないか」と考えるようになっていた。この当時はそういう時代であった。

付け加えると、ケインズが『雇用・利子および貨幣の一般理論』を発表したのは、一九三六年である。資本主義にも処方箋がある、というケインズの考え方が経済学の主流になるのは少し後のことであった。

因みに、ルーズベルトは、ケインズ理論にある赤字国債を発行して有効需要を創造し景気を刺激するという新しい経済政策をどうしても理解できなかったと言われる。

（ルーズベルトは、一九三三年〜一九三七年に施行したニューディール政策によって増大する財政赤字に耐えられず、折角景気が回復軌道に乗ったにもかかわらず、金融緩和政策から緊縮財政に転換したため、景気を再び悪化させていた。一九四〇年の失業率は約十五％にのぼっていた）

ヴェノナ文書について簡単に説明を加えておく。

第二次大戦が始まり、米英が恐れたのは、ソ連が抜け駆けしてドイツと単独講和を行うことだった。この動きを監視するため、アメリカ陸軍情報部とイギリス情報部が連携して、米国内にいるソ連の外交官等と本国との通信暗号を傍受・解読する「ヴェノナ」作戦を行っていた（一九四三年〜一九八〇年）。

そして、戦後の長い期間、傍受内容は厳重に秘匿されていたが、一九九一年のソ連邦崩壊の状況を受け、戦後五十年の節目に暗号解読文書の一部が公開されることとなった。

この中身が衝撃的であったのは、単に米国政府の機密情報がソ連に漏れていただけでなく、米国の政策をソ連に有利な方向に転換するための影響力工作が含まれていたことである。

解読文書の多くは米国ＣＩＡやＮＳＡのホームページにて公開されている一級の一次資料である。

十一月二十六日、ハル国務長官は、日本の野村、来栖両大使にハルノートを手交する。日本の交渉案（甲案・乙案）に対する回答として提示されたものと日本側は理解した。

■ハルノートの概要

すべての国家の領土保全と主権の不可侵を原則として、日本の一切の陸海空軍兵力を中国、インドシナから撤収すること、重慶の国民政府以外の中国におけるいかなる政府、政権も支持しないこと（汪兆銘政権の否認）、日本、アメリカ、イギリス、オランダ、中国、ソ連、タイの七カ国の多辺的不可侵条約の締結、実質的に日独伊三国同盟を廃棄することなどを要求している。

一切の陸海空軍兵力とあるが、これは軍隊と警察力をさしていた。つまり中国とベトナムから出て行けということに等しい。

日本政府はこれを対日最後通牒とみなし、十二月一日の御前会議はこれを受諾しがたいという結論を下し、米国、英国、オランダに対する開戦を決定する。

開戦目的については、十一月の御前会議で論議されていた。その中で、目的はあくまで「自存自衛」の一本に絞られる。「アジアの解放、大東亜共栄圏建設」を強調すると黄色人種対白色人種という人種間対立となって、同盟国である独伊との協調関係にひびが入ることを懸念したためであった。白人帝国主義支配からの解放を堂々と宣言すれば、戦争の色合いも少しは変わったであろうが、この点からも三国同盟が足枷となっていた。また双方とも勝手に単独講和してはならぬと協定したため、これが終戦の判断を遅らせる要因の一つとなっていたことも皮肉な話である。

御前会議の前日に天皇は、統帥のトップ二人を呼び、戦争が本当に陸海軍の総意であるか、最終の確認を行っている。実は、昭和天皇の弟宮である軍令部作戦課参謀高松宮宣仁中佐が「海軍は真の自信をもっていない」と昭和天皇に報告してきたことで、海軍は一枚岩ではないのではとの疑念を持ったからである。

これに対し陸軍の杉山も海軍の永野も、心配に及ばず、天皇の大命を待ち受けております、と回答していた。

しかし陸海軍両者の目は別の方向を向いていた。陸軍は南方作戦で資源を獲得したあとは、中国とインド洋方面に力点を置いていた。対して海軍は太平洋の緒戦で大勝して短期講和を目指していた。出発点から戦略目標が一致していなかったのである。

ルーズベルトはハルの原案にメモを添えている。「日本がこれを受け入れる可能性はほとんどないだろう。すぐにでも起きる災いに備えなければならない」

スティムソンの日誌には「当面の問題は、我々があまり大きな危険にさらされることなしに、いかにして日本側に最初の火ぶたを切らせるような立場に彼らを追い込むか、ということであった」と書いていた。

駐日大使グルーも回想録で「このとき開戦のボタンは押されたのである」と述べている。

そして暫定案を潰したチャーチルは回顧録の中で、最終案（ハルノート）は、我々が要望したものよりもずっと進んだものであった、と記している。

このハルノートに対する日本側の反応については、日米開戦回避に尽力した東郷外相の回想で十分であろう。

それは、「目も眩むばかりの失望に撃たれた」という有名な一節から始まる。続けて、極東における大国としても地位を捨てよということは、日本の自殺に等しいとまで言っている。東郷は、これはアメリカからの挑戦状であり、明らかに日本に対する最後通牒であると、ハルノート受諾後の連絡会議で明言している。

周知のとおり、東郷は親独派ではなく、むしろ親米派に属していた。その東郷が、目も眩むばかりであった、と言うのだから余程のことであったと現代の我々は理解しないといけない。

米国は一切の妥協・譲歩を許さなかった。ハルノートを見て、それでも戦争に反対する者は政府連絡会議のメンバーにはいなかった。

東條はハルノートを受け取る前には、なお外交交渉に一縷の望みを託していた。米国がもし、日本が交渉で折れずに、本気で戦争を決したと分かれば、何がしかの外交的な譲歩を打ち出してくることもあり得ると考えていた。しかし、十二月一日の御前会議の段階では、それも完全に絶たれてしまったのである。

ジェフリー・レコード（米国空軍大学教官、上院軍事委員会専門員）は、以下に述べている（渡辺惣樹訳・解説『アメリカはいかにして日本を追い詰めたか』〈草思社、二〇一三年〉より）。

わが国は「恐怖心（fear）」や「誇り（honor）」という要素が日本の意思決定のプロセスに及ぼす影響を過小評価してしまったこと、そして対日経済制裁がもたらすはずの戦争回避効果を過信してしまったことが、我が国の失敗だったと指摘する。博士は日本側の失敗にも論及する。日本は、アメリカ社会があれほどのまとまりを見せるとは思っていなかった。そしてまた自国の戦力をいささか過信しすぎた。圧倒的な資源を誇るわが国を叩く能力があると思いあがったところがあった。

レコード博士は戦争抑止に失敗したのは日米の相互に責任があるとしている。

略……そうした事態に陥ったのは、両国が互いの文化に無知であり、またそれぞれの民族が同じくらい傲慢になっていたからであった。

枢密顧問官に列するとともにチャーチル内閣の通商庁長官であったオリバー・リトルトンも戦時中の一九四四年に公式の席で、日本の真珠湾攻撃は米国の挑発によってもたらされた、と爆弾発言している。リトルトンのこの発言は物議を醸し、最終的に陳謝したが、つい本音を漏らしたのが実情であろう。

レコード博士らは、米国の経済制裁がその意図に反し、戦争になってしまったことを失敗として振り返っているが、しかし一方で、最初から開戦を意図した挑発であったとの見方も根強くある。もし挑発ならばどのタイミングからなのか。今後の研究に期待したい。

また、あくまで後世の後知恵であるが、日本も米国の意図を見抜きハルノートを受け入れてしまうという考えもあったかもしれない。日本がこのハルノートを受け入れることによって、最初の一撃を仕掛けてくることを期待していた米国の指導者の一部は肩透かしを食らうことになったであろう。

ハルノートに対しては、東京裁判でのパル判事の「これと同じ通牒を受け取った場合には、モナコ公国か、ルクセンブルク大公国のような小国でさえも、米国に対して武器を手にして立ち上がったであろう」という意見書の記述があまりにも印象深いため、「ハルノート＝戦争不可避」と決めつけがちである。

しかしもう一度冷静に読み直してみて、知恵を働かせてみれば交渉出来なくはなかったかもしれないと思える。

一番の焦点であった中国からの撤退については時期が明確に記載されていない。ハル国務長官は来栖大使に対し「即時撤兵を要求しているのではない」と説明している。また中国は満州を含むかも明確にしていない。

一旦、ハルノートを受け入れて、中国からの撤退時期と満州の扱いを協議しながら様子見を決め込むのが一番賢いやり方だったのではないか。

数カ月も経てばドイツの劣勢は鮮明となり、ドイツの勝利を当てにしていた参謀本部も戦略を根本的に再考せざるを得なくなったはずである。

例えば、ドイツはいずれソ連と英米に邀撃され敗戦する。その後、イデオロギーの違いから英米はソ連と対立するであろう。その国際情勢の変化を利用して英米との関係を修復していく。それまでは米国の要求を呑んで隠忍自重する、というような戦略もあったかもしれない。

付け加えると、米国政府は、（対日交渉の経緯を）国民に隠していた。日本はこれを逆手にとって、公表することも忘れてはならなかった。これによって、戦争に反対していた米国孤立主義を勢い付かせることも出来たはずであった。

しかし、残念ながら、地球儀レベルで、こうした深慮遠謀を図れる、冷静なリーダーは日本には存在しなかった。

真珠湾

「アメリカ空軍の父」といわれたウィリアム・ミッチェルは、一九二四年の報告書の中でこう記している。「ある晴れた日曜日の朝7時半、日本の航空機が真珠湾の基地を攻撃する」、希代の天才と後年いわれ、当時は変人扱いを受けていたミッチェルは未来を正確に予測していたのである。ミッチェルの予言は十七年後に現実のものとなる。

十一月十三日、連合艦隊は真珠湾攻撃についての最後の打ち合わせを行っていた。十三日といえば、日本がハルノートを受け取る約二週間前である。

山本五十六は、日米交渉が妥結した場合は出動部隊に直ちに帰投するよう命令した。これには、指揮官の一部から、「途中で引き返すのは無理だ」と不服を唱えるものが出たが、山本は「百年兵を養うは、ただ平和を護るためである。もしこの命令を受けて帰れないと思う指揮官があるなら、ただいまから出勤を禁ずる。即刻辞表を出せ」と厳しく諭していた。この辺、「統率者」としての山本は実に立派であった。

そして、二十二日に、第一航空艦隊司令長官である南雲忠一中将指揮下の旗艦赤城および加賀、飛龍、蒼龍、翔鶴、瑞鶴を基幹とする日本海軍空母機動部隊は択捉島の単冠湾に集結、奇しくも日本がハルノートを受け取る二十六日に、南雲機動部隊はハワイへ向けて単冠湾を出港している。

そして、十二月一日、御前会議で対米が正式決定し、宣戦布告は真珠湾攻撃の三十分前に行うべきことが決定された。翌日の十七時三十分には、大本営より機動部隊に対して「新高山登レ一二〇八ひとふたまるはち」の電文が発信される。

一九四一年十二月八日未明、航空母艦六隻から飛び立った約三百五十機の艦上航空機によって、ハワイオアフ島真珠湾にあったアメリカ海軍の太平洋艦隊と基地を奇襲攻撃した。

奇襲を受けた米国の慌てふためく様は、ゴードン・プランゲの『トラ　トラ　トラ』から引用する。

ワシントンの海軍省ではノックス海軍長官が、手にした電報をしげしげと見ていた。「真珠湾空襲。演習にあらず！」

「何だと！　こんなことはあり得ない！　これはフィリピンのことを言っているのにちがいない！」と、ノックス長官は海軍作戦部長スターク大将にはっきりと叫んだ。しかしスターク大将の目には、その電報の発信者――太平洋艦隊司令長官――という文字が飛び込んできた。

「いや長官、これは真珠湾のことです」とスターク大将は答えた。

米国は完全に裏をかかれ奇襲を許してしまった。日本が近々に攻撃を仕掛けてくることを暗号解読で知っていたが、真珠湾に来るとは思いもしなかった。

冒頭で、ウィリアム・ミッチェルが十七年前に日本軍による真珠湾攻撃を予言していた話をしたが、九カ月前の一九四一年三月には、マーチン、ベリンジャー両少将が、日本軍による空母からの攻撃の可能性を指摘していた。更に、フォーシング大佐に至っては、最大限空母六隻による北方からの攻撃を正確に予測していたが、重く受け止めることはなかった。米軍首脳の大多数は、日本が真珠湾を攻撃する公算はないと踏んでいたのだ。

アメリカ海軍の損失は、戦艦四隻沈没、戦艦一隻座礁、戦艦三隻損傷、航空機損失百八十八機、航空機損傷百五十九機、戦死二千三百三十四名にのぼった。

一方、日本側の損失は、特殊潜航艇四隻沈没、特殊潜航艇一隻座礁、航空機損失二十九機、航空機損傷七十四機、戦死六十四名である。

奇襲作戦は見事に成功を収めた。

日本軍は、「ルーズベルトの百万ドルの拳骨」と呼ばれたハワイ・アメリカ太平洋艦隊の戦艦八隻を粉砕したのである。

ルーズベルトは、三十代の約七年間（ウィルソン大統領時代）を海軍次官として過ごしており、海軍に対してはことのほか愛着が強かった。そして、大艦隊をハワイに終結させて日本にプレッシャーを与える戦略は、この時点では裏目に出てしまった。

しかし、一方で、何故ハワイに対する警戒が甘かったのか不思議な点は否めない。実は知っていたのではないかという真珠湾陰謀論がここから出てくる。

この陰謀論に関する著述については、日本の研究者のみならず米国からも多数出ており、議論百出している。基本的には、「ルーズベルトは事前に知っていた」とするものは、歴史修正主義、陰謀論とよばれ、「日本が不意打ちを行った」とする見方が正統的な歴史解釈である。私自身は、丹念に一次資料を猟歩した上での知見を持っているわけではないので、確定した言い方は出来ないが、この論争は現在も進行形であると考えている。

あくまで私見であるが、これほどの陰謀はもし発覚した場合の悪影響が大き過ぎるし、将来の情報公開で発覚した場合、死後全ての名誉を奪われることになる。知っていて真珠湾を見殺しにしたとはどうしても考えにくい。しかも陰謀を成立させるにはハワイの軍トップである二人（太平洋艦隊司令長官キンメル大将とハワイ方面陸軍司令長官ショート中将）を外して行う必要があり、そんなことが出来るのか。

あとから考えると真珠湾攻撃を匂わす情報はあったが、膨大な情報の中に埋もれていたのではないか。米国の首脳部は、頭から日本軍の作戦能力を過小評価していた。日本軍がそんな大それたことをするわけがないと頭から決めつけていたため、重要情報であることを見落としていたのではないか。

ロバータ・ウォルステッター著、北川知子訳『パールハーバー』(日経BP、二〇一九年)では、「つまり、アメリカは、関連情報が不足していたからではなく、無関係な情報が氾濫していたために、真珠湾攻撃を予測できなかったのである」と書いている。

一方で、情報とは別に、確実に何らかの意図が背景にあったとしか思えない事実もある。例えば、長谷川熙氏が『自壊』の中で指摘しているが、米国本土では徹底した日本人スパイ狩りを行っていたにもかかわらず、ハワイで活動していた日本人スパイ森村正(本名吉川猛夫)をスパイと分かっていて何故何カ月も放置させていたのか、真珠湾奇襲時に空母はいなかったが、その空母の動きも不可思議な点がある等々、今後も検証が必要な点は多い。

しかし、この生煮えの状態でも、前提をクリアーにしなければ話を先に進めることが出来ないので、ここでは一旦陰謀論は退けて話を進める。

ホワイトハウスでは早速会議が開かれた。

ルーズベルトは、愛する太平洋艦隊が粉砕されたことに非常にショックを受けていた。

翌八日にルーズベルトは議会と国民に向けて有名な演説を行う。

「昨日、一九四一年十二月七日、将来、恥辱として記憶に刻まれる、であろう日（a date which will live in infamy）、アメリカ合衆国は、大日本帝国海空軍から突然かつ準備周到な攻撃を受けました。……略

私は議会に対し、一九四一年十二月七日の日曜日に日本が仕掛けた、正当性のない卑劣な攻撃の結果、アメリカ合衆国と大日本帝国が交戦状態に入った旨の布告を宣言するよう求めます」

この演説は、アメリカ国民六千万人が聴いたという、ラジオ史上最も聴かれた演説となった。日本は、アメリカを本気で怒らせてしまった。

そして、事前通告がなかったことも徹底的に利用された（もちろん米国は暗号解読で知っていたのだが）。

そして、あのハルノートを提示したことも秘匿された。

繰り返しになるが、日本は米国を含めた世界に向けてハルノートを公開し、プロパガンダに利用するべきであった。日本はこの辺の外交的反射神経が非常に鈍い。

共和党の重鎮ハミルトン・フィッシュは、開戦当初、日本軍による「騙し打ち」と喧伝され

た真珠湾攻撃に心底憤っていた。しかし、戦後、対日最後通牒であるハルノートを公表せずアメリカを大戦に導いたとしてルーズベルトの責任を厳しく追及している。

日本では、真珠湾攻撃は臨時ニュースで全国民に伝えられた。

そして、一部の政治家、軍人、文化人を除いて多くの国民が沸き立った。米国の課した資産凍結や石油禁輸は「アメリカの不当な圧力」という形で報道されていたため、国民世論は対米強硬論に傾いていた。そんな中、強国アメリカとの緒戦に大勝したことは、快哉を叫ぶに充分であった。

今まで同じアジア人である中国人を相手に、ジメジメした泥沼の戦争に倦んでいた日本人にとって、強いアメリカに対する挑戦を壮挙と捉える人々も多かったのである。

十二月九日作家の伊藤整はその日記に、「今日は人々みな喜色ありて明るい。昨日とはまるで違う」と書き留めている。

小林秀雄は真珠湾に対して「大戦争がちょうどいい時にはじまってくれたという気持ちなのだ。戦争は思想のいろいろな無駄なものを一挙になくしてくれた。無駄なものがいろいろあればこそ無駄な口をきかなければならなかった」と語っている。

東條首相は、開戦を決めた後は、安堵の気持ちからか周囲に対しては非常に穏やかな様子であったと伝えられる。

実は、東條は、開戦二日前に皇居に向かって正座し、そして号泣していた（かつ子夫人の目撃談）。戦争回避という天皇の希望を実現出来なかったことに対して負い目を持っていたのだ。従って、この戦争は何としても勝たねばならないとの意識も人一倍強く持って開戦にのぞんでいたに違いない。

東條はまた側近に満面の笑みをたたえ、「真珠湾は予想以上だったね。これでルーズベルトも失脚だな。アメリカ国民の士気は落ちてしまうだろうし。戦況をさっそくお上に申し上げないと」と語っていたという。残念ながら、この時の日本のトップの国際感覚はこの程度であった。この点からも軍のトップを首相が担うのは間違っていた。ルーズベルト、チャーチル、スターリン、そしてヒトラーまでもが、善し悪しは別にして、政治のトップとして軍を取りまとめていた。逆に、生粋の軍人が国政のリーダーであったのは日本だけであった。

一方、元首相の近衛は真珠湾攻撃大成功の報にもかかわらず、「いずれは負ける」ことを示唆するコメントを側近などに語っていた。近衛は「先が見えるという意味」での聡明さを持ちあわせていたが、リーダーとしての何かが欠けていた。

次に、真珠湾攻撃の報を受けた海外要人のコメントを記しておく。

一九四一年十二月八日、真珠湾攻撃の報に接した蔣介石は、「抗日戦争について行ってきた政略によって得られた成果は、まさに本日頂点に達した。物極まれば必ず方向も変わるともいうが、このように自ら望んだ状況になり、気持ちを抑えてはいられないほどだ」と日記に記している。

チャーチルは、日本が真珠湾攻撃を行った情報に驚き、直接確認の電話をルーズベルトに入れている。ルーズベルトは「日本は、真珠湾を攻撃しました。これで我々はいまや同じボートに乗ったことになります」と答えたと伝えられている。

そして、この時の日誌には「これで我が国は救われた」と安堵の気持ちを記している。チャーチルはこの瞬間に彼が目指した「戦略的持久」を成就させたのだ。

米国の重鎮スティムソン陸軍長官は回顧録で「アメリカの不決断をこれほどまでに見事に終わらせる一撃はなかったであろう。日本がわれわれを攻撃したというニュースを聞いたとき、最初に浮かんだ思いは、これで優柔不断のときは終わり、この危機でアメリカ国民は団結するだろうという安堵の気持だった」と記している。

スティムソンは、もし日本が真珠湾でなく東南アジアに攻めてきた場合、米国世論をどのように戦争に誘導するか、そして議会承認をどうするか悩んでいたはずである。その悩みは一切消えたのである。安堵（Relief）という表現がすべてを物語っている。

スターリンは、様々なインテリジェンス情報を頼りに、極東軍をモスクワ攻防戦のために移動させたが、もし日本が戦略変更し極東に侵攻したらソ連の命運は万事休すになる可能性があった。そして「真珠湾攻撃」によって日本がソ連に戦争を仕掛ける可能性が実質的にゼロになったことで、同じく安堵の気持ちをもったと想像できる。

それどころか、スターリンは、もともと日米を戦わせ疲弊させることを目論み、そのための諜報網を日本（ゾルゲ諜報団）、米国、中国に展開していた。真珠湾攻撃は、その影響力工作が成功したことを意味した。

さて、問題はヒトラーである。

ドイツ軍は、米国が日本を攻撃しなければ、日本のほうから直接に米国を攻撃するはずはない、米国が参戦するにしても将来のことであろうと考えていた。そこに日本が米国を攻撃したという報が入ってきた。あり得ない事態にドイツの指導者たちは驚き、静まりかえった。そんな中で、ヒトラーは肯定的な反応をしめしている。「これは、戦況を挽回する転機が訪れたのだ！」そう叫んだと言われる。そして「我々は戦争に負けるはずがない。われわれは三千年間一度も負けたことがない味方が出来たのだ」と語ったと伝えられる。

実は、日本の開戦に関しては、リッベントロップ外相とヒトラーは、事前に日本から報告を受けていた。

十一月三十日、日本より大島大使に、「日米が戦争となった場合、ドイツも日本側にたってアメリカと戦うように約束を取り付けること」という訓令が届いていた。

これを受け大島は、リッベントロップと面会し、ヒトラーとの面談を強く希望するが、「総統は対ソ戦の指導で忙しく会えない」と返される。何度も面談を求める大島に対しリッベントロップは、「アメリカとの戦いに参戦する総統の決心は固いと思って頂きたい」と回答していた。

十二月三日、大島は早速、本国に打電する。

「リッベントロップの情報によれば、ヒトラーは対アメリカ戦について反対していないとのことである」

そしてこの情報は英米にも暗号解読され、日本が対米戦を行った場合、ドイツも参戦することが連合国側に筒抜けになっていた。英米の指導者がこの情報をどれだけ、ほくそ笑んだか想像に難くない。

実は、ハルノートを提示する前の十一月十三日に、駐米ドイツ参事官のハンス・トムゼンは、「日本がアメリカと戦争するならばドイツはすぐに日本のあとに続くだろう」という情報をアメリカ情報調査局長官のウィリアム・ドノバンに上げ、それはルーズベルトに伝えられていた。そして、この大島情報によって「ドイツも参戦する」という情報がより確度の高いものになったのである。

ヒトラーはもともと、国益は条約より優先するという考え方である。日本に義理などという感傷的なものは抱いていない。そのうえ、三国同盟には、日本から攻撃した場合の参戦義務はもともとない。

ヒトラーは「あれは日本が勝手にやったことで我々には関係がない」と対米戦を回避することが出来た。グデリアンはドイツの対米宣戦布告後、「ヒトラーが日本の敵の米国に参戦したのに、なぜ日本はわれわれの敵ソ連に参戦しないのか」と不満を手記している。筋論から言えば、そういう見方もできる。リッベントロップ外相も本心では、日米戦に幻滅していた。ドイツと日本によるソ連邀撃を行う最大のチャンスを何故、見逃すのか。三国同盟の仕掛け人は、歯痒さを感じていたはずだ。

ヒトラーは、日本に対して米国への参戦を確約していたが、米国との戦争となると、さすがに躊躇する気持ちがあったのかもしれない。彼は三日間の熟慮の末に参戦を正式に決意する。

人口七千万人のドイツが二億近いソ連に勝つためには、電撃戦による奇襲の成功が必須条件であったが、これが失敗に終わっていた。更に対ソ戦に足をすくわれている間に英国は戦力を増強しつつあり、これに加え世界最大・最強の米国と戦争するなど、狂気の沙汰ではないか。何故、ヒトラーが対米戦を決意したかは、第二次大戦における最大の謎の一つと言われ、研究者の間でも明確な答えは出せていない。

あえて、答えを推論するとすれば、以下の見方になるのではないか。

当時、独軍ユーボートと米国艦船が抗戦するという事件が頻発しており、対米戦は時間の問題であった。更に、真珠湾攻撃の三日前の十二月四日に、米国紙『シカゴ・トリビューン』と『ワシントン・タイムズヘラルド』は、「米総合参謀本部が陸軍を一千万人規模にまで増強し、その半分の五百万人を対独戦に振り向ける」「対独戦のタイミングは一九四三年になる」と明記していた。ヒトラーにとっては「危険な警告」とみなすべき報道である。これに反応して、いずれ米国との戦争が避けられないのであれば早い方が良いと考えた可能性は十分にある（また、このすっぱ抜き記事は、ヒトラーを追い詰めるためにホワイトハウスがわざとリークしたものであると指摘する研究者もいる）。

十二月十一日ドイツ帝国議事堂の演台に立って「ドイツは日本と一緒にアメリカと戦う」ことを宣言する。

そしてもう一人、真珠湾攻撃の報を受け歴史を動かした大物がいた。

のちにインド独立運動の「英雄」となったチャンドラ・ボースである。ボースは、一九四一年十二月八日の真珠湾攻撃のニュースを聞き、「目が醒める思いだった」と語っている。そして、頼るべきは日本であると考えるようになる。

ボースが主導する急進派は、イギリス傘下の自治権の拡大ではなく、完全独立を目指していた。ガンディは急進派を徹底的に妨害し、ボースは辞任を余儀なくされたのである。そして一九四一年一月十七日、国内の軟禁状態から抜け出し、国外逃亡に成功し、ドイツに逃亡していた。

彼は英国と対決しているドイツに期待しベルリンに行ったが袖にされていた。ヒトラーは、ボースに、「インドが独立して自治政府を持つには、百五十年はかかる」と冷淡な態度であった。

そんな矢先の出来事だった。英米と戦争状態に入った日本と結べば、ゆくゆくはインド独立の橋頭堡になる可能性がある、とボースは考えるようになる。

（チャンドラ・ボースが東京にたどりついたのは一九四三年五月、ボースの合流がのちのインパール作戦に繋がっていく）

この真珠湾攻撃に対する戦略的な問題点については、「真珠湾攻撃計画（海軍の錯誤）」の章で述べたが、戦術面については、米国の関係者の多くは高い評価をしている。

真珠湾攻撃の責任で解任された、アメリカ太平洋艦隊前司令官キンメルも敵ながらあっぱれと、手放しで評価している。また戦略的には落第点を付けたスティムソン陸軍長官も戦術的には高い評価をしていた。

当時、アメリカ極東陸軍の司令官であったマッカーサーは、真珠湾攻撃の速報をマニラ時間の午前三時に聞いている。その時、マッカーサーは、「日本は手厳しい敗北を喫したに違いない」と感じたという。ハワイのような強力な軍事基地が壊滅的な打撃を受けるはずはないと確信していたからである。そして十二時半過ぎには、フィリピンにおいても、クラークフィールド基地に配備されていたB17重爆撃機（十八機）、P40戦闘機他（九十機）が零戦に護衛された九六式陸攻によって破壊されている。それからだいぶたった後、マッカーサーは真珠湾においても米軍が大損害を被ったことを聞いて、驚愕したと述べている。

一方で、真珠湾での敗戦後、アメリカ太平洋艦隊の最高指揮官になるニミッツ提督は手放しでは評価していない。

C・W・ニミッツ／E・Bポッター著、実松譲／富永謙吾訳『ニミッツの太平洋海戦史』（恒文社、一九九二年）より抜粋する。

アメリカ側の観点から見た場合、真珠湾の惨敗の程度は、その当初に思われたほどには大きくなく、想像されたものよりはるかに軽微であった。略……攻撃目標を艦船に集中した日本軍は、機械工場を無視し、修理施設には事実上手をつけなかった。略……日本軍は港内の近くにある燃料タンクに貯蔵されていた四五〇万バレルの重油を見逃した。略……この燃料がなかったならば、艦隊は数か月にわたって、真珠湾から作戦することは不可能であったであろう。米国に

とってもっとも幸運だったことは、空母が危難をまぬかれたことである。略

ニミッツは、修理施設や燃料タンクを見逃したことを指摘しているが、日本側も第二次攻撃で行うべきだったのではないか、という論争が今でもある。この点について現場の最前線にいた源田実（当時、第一航空艦隊航空甲参謀で山本長官の知恵袋といわれた）は戦後、以下に語っている（源田実『風鳴り止まず』〈ＰＨＰ研究所、二〇二〇年〉より）。

略……朝から悪かった天候が一層悪化し、夜間攻撃を終えて帰って来る飛行機の収容は、不可能な状態にあった。それは敵の潜水艦よりも危険だった。参加した航空母艦六隻の半数はやられることを覚悟して敢行した作戦だったが、飛行機二十九機、搭乗員五十五人を失っただけで、艦隊としては、かすり傷一つ負っていない。敵艦隊の主力と航空兵力の大部分を撃滅して、作戦の目的はほぼ達成されたと判断される。このうえさらに、燃料タンクや修理工場をたたくために、重大な危険を冒してまで、もう一度攻撃をかけることは、いたずらにわが方の損害を著しく増大する結果を招くことになるのではないか、と二次攻撃はもともと困難であったと回想している。

沈んだ戦艦八隻のうち六隻は後に修理され復帰しており、撃滅した飛行機はすぐに補充され

ている。そして一時的にアメリカ太平洋艦隊の動きを止めることは出来たが、真珠湾に連続して、瀕死の米海軍に対して畳みかけるような攻撃は行っていない。真珠湾攻撃隊長だった淵田美津雄は自叙伝で「ああ道草の四カ月の時の流れが惜しい」と語っている。

山本五十六は、シンガポールが陥落した時（一九四二年二月十五日）が和平のチャンスであることを近しい人に語っていたと言われる。シンガポールが落ちれば、英国植民地のインド、ビルマが動揺し、インドが動揺すれば、英国が折れる可能性が出てくる。但し、それを切り出すには、これまでとった領土を全部返してしまうくらいの覚悟が必要となる。その覚悟さえあれば、休戦成立の可能性はあると、考えていた。しかし、米国は真珠湾攻撃によって、戦争に大きく舵を切っており、戦時経済体制が始動してしまったタイミングで講和が出来たとはとても思えない。因みに、米国の失業率は一九四〇年に十五％であったものが一九四二年には五％に大幅に改善、国民総生産は大戦を通じ倍に増大していたのだ。

最後に「真珠湾攻撃の問題点」として振り返っておきたいのは、既述したように、真珠湾攻撃を米国内で「トレッチャラス・スニーク・アタック、リメンバー・パールハーバー」と喧伝されてしまったことである（リメンバー・パールハーバーは一九四二年のガタルカナルで米国海軍が言い始めたのが最初で、開戦当時叫ばれたのは、「卑劣な騙し打ち」の方であった）。

「卑劣な騙し打ち」とされたのは、日本が、平和交渉の最中に、事前通告もなしに、いきなり攻撃を仕掛けてきた、ということが前提になっている。

当初の計画では、真珠湾に攻撃を開始する予定時刻（ハワイ時間：十二月七日：午前八時）の三十分前に、駐米日本大使である野村吉三郎・来栖三郎がハル国務長官に対米覚書（最後通牒）を手渡すことになっていた。

実際の攻撃開始は予定より五分早い七時五十五分と極めて正確に行われている。一方、ハル国務長官に対しては、日本大使館員の不手際から、真珠湾攻撃の一時間後となってしまい事前通告に失敗してしまう。

当初、日本は軍部（海軍軍令部）を中心に、今回の戦争は「国家の自存自衛」のための戦争であり、宣戦布告なしで開始しようと考えていた。東郷外相もハルノートは米国の最後通牒であり、宣戦布告の必要はないと判断していた。

確かに、独ソ戦しかり、宣戦布告なしで開始される例は珍しくない。しかしこれに反対したのが、昭和天皇と山本五十六であった。日本は一九〇七年に調印されたハーグ協定に一九一二年に批准しており、その中にある「事前の通告なしに戦争を開始してはならない」という国際間の協定を守るべきであるというのが、二人の譲れぬ主張であった。これには、さすがの軍令部も従わざるを得なくなったのである。

しかし、ここで問題として取り上げたいのは、事前通告を「三十分前」で計画したことである。東郷外相は当初「二時間前」を要求していたが、海軍から「一時間前」と要求され一旦決着するが、それでも不安な海軍は、開戦の三日前の十二月五日に「三十分前での通告」を強く希望し、最終的に三十分前になったのである。

ビジネスを経験したことがある人ならば理解できるはずだが、米国の国務長官とのアポを直前にとって、分単位の精度を求めるのはリスクマネジメント上如何なものか。日曜日に他の予定が入っていて時間が合わなかったらどうするのか。会談に遅れるリスクもあるだろう（実際、アポを取ったのは、当日の十一時半、会談予定時刻の一時間半前であり、案の定ハルは昼食の予定が入っていたため、一旦断っている。そこを野村大使が粘り、何とか一時に設定したのである）。

「三十分前」でしか奇襲が成功出来る見込みがないのならば、計画そのものに無理があったと考えねばならない。結果は一時間の遅れである。この点について、既に米国側に暗号解読されていた、では振り返りにならない。もともと計画自体の投機性が高すぎたのである。

そして真珠湾攻撃は、そもそも戦果が大きければ大きいほどアメリカ人の怒りをかい、短期講和が遠のいてゆくという矛盾を抱えていた。

もし米国に対する戦闘開始がフィリピンならば、日本の攻撃部隊は空母からではなく台湾から出撃しており、二時間前で十分であったと考えられる（実際、真珠湾と並行して行われたフィリピン・クラーク基地への攻撃は、濃霧のため出撃が大幅に遅れていたが大打撃を与えている）。

米国は、最初から日本の攻撃で国内世論を喚起させることを企図していたわけであるのだから、フィリピンに対する攻撃に対してもあの手この手で戦意を煽っていただろう。しかし、「リメンバー・フィリピン」と世論を鼓舞出来たかは疑問である。また後世の後知恵でしかないが、やるならばフィリピンを素通りして、敵が最初に攻撃を仕掛ける状況を作り出し、大義名分を得ることであった。

我々が振り返らねばならないエッセンスは、「外交や戦争はギャンブルであってはならない」ということである。日米戦自体がドイツ勝利を当てにしたギャンブルであり、真珠湾攻撃もギャンブルであった。

あと一点、素通りしてはならないことは、米国大使館の怠慢問題である。これについては、様々な文献で触れられているのでここでは詳述は避けるが、とても看過出来る話ではない（この問題については、長谷川熙氏の『自壊』〈WAC、二〇一八年〉をお薦めする）。

先ほど三十分前のリスクについて触れたが、これとは別に、大使館員は、何が何でも指示された時刻に、伝える努力をしなければならなかったのだ。国家の名誉にかかわる話である。書類は後回しにして、会うには会って口頭でも、最悪電話でも伝えるべきであった。怠慢なだけでなく、臨機応変の対応も出来ていなかった。そして、その後の当事者に対する信賞必罰もまったく行われず、責任は取らされていない。既述した軍部の情実人事の件と同じで、外務省も典型的な「共同体組織」だったのだ。外よりも内の論理が優先していたのである。

モスクワ

十一月初旬の時点では、冬将軍による「ソ連有利」の兆候はソ連側には十分伝わっていない。クレムリンの執務室には、ドイツ空軍による爆撃音が鳴り響いていた。

そして、革命記念日の前日十一月六日、大規模な祝賀会を地下鉄のマヤコーフスキー駅で開催し、スターリンは、「祖国防衛」について不退転の決意を表明する。

「ドイツ軍は、とてつもない人的被害を受けており、すでにその予備能力は干上がりつつある。一方で、わがソビエト軍の予備は、ようやく、完全に配置されようとしている」と声明した。

そして七日には、軍事パレードを行う。パレードに参加した兵士はそのまま北西方面の戦線に投入されていった。そして、パレードの模様を撮影したニュース映画は全国で公表され多くの国民の危機感を煽った。またスターリンの演説は新聞を通して全国各地に散布されていた。

ソ連軍以上に疲弊していたのはドイツ軍の方であった。

十一月六日時点で、対ソ戦に投入された独軍兵力約三百三十万人のうち、損害は六十九万人、これは全兵力の約二十一％に相当する。

グデリアン大将は、防寒具の不備のために将兵が凍傷にかかるのを危惧していた。凍傷は即座に兵の戦力を奪う。独軍はマイナス二十度~四十度の極寒にもかかわらず外套も防寒手袋も防寒靴も支給されなかった。装甲部隊や機械化部隊用の冬季戦用の潤滑油も不足していた。そして、ドイツ軍は戦車を始動するのに、焚火で温めるか、エンジンをアイドリング状態のままにしておく必要があった。

一九四一年十二月のソ連の冬はまた異例の寒さだったと言われる。平均気温は平年より六度も低かった。

凍傷にかかる兵士が続出した。一九四一年十一月~一九四二年三月の死者の七割が凍死だったと言われている。闘将グデリアン大将はヒトラーの命令を無視し、モスクワ攻略戦の中止に動く(このことが原因でのちに解任される)。

十一月末、ソ連軍は限定的な反攻を開始する。ドイツ軍の反応は鈍く、ジューコフはドイツの攻撃能力が限界を迎えていると判断した。今こそ、戦力を集中し大規模反攻を行うタイミングであると確信する。

ソ連軍の兵力は、極東からの増援部隊の投入等によって大幅に増強されていた。

ゾルゲを「救国の英雄」と顕彰する理由はここにある。

そして、チャーチルからは、ブレッチリー・パークで解読された極秘情報(ドイツ軍の配置や作戦計画の詳細）がスターリンに届けられていた。更に、ルーズベルトからは、レンドリース法による軍需物資の投入が始まっていた。

一方、ドイツの先遣部隊は、モスクワの約三十〜四十キロまで迫り、「ついにあと一歩のところまできた」と疲労の極限に達しながらも、誇らしく語り合っていた。しかし、ドイツ軍の前進はこれが限界であった。

十二月初旬、ソ連軍は総攻撃の準備を完了した。

十二月五日、ドイツ軍が進軍を躊躇したまさにその時、防寒具に身を包んだソ連軍は、奇襲による総攻撃を開始したのだ。

気温は零下二十五度に達していた。

十二月六日、ドイツ軍はモスクワ攻略の中止を決定する。

十二月八日、真珠湾攻撃の同日、ヒトラーは総統訓令第三十九号を下令する。

『わが軍は全ての攻勢作戦を停止しせよ』

何という歴史の皮肉であるろうか。

ドイツの勝利を信じた日本が対米戦を開始した日に、バルバロッサ作戦は失敗に終わっていたのだ。

十二月十三日にプラウダは、「モスクワ近郊でドイツ軍が敗北した」とモスクワ攻防戦の勝利を内外に喧伝している。

闘将グデリアンも流石に、バルバロッサ作戦の挫折を認めざるを得なかった。

そして、ソ連軍は、十二月末までに長大な戦線で敵を百五十〜二百キロ押し返した。

連合軍は勝つためのチームを形成していた。一方、日独の戦略は絡み合わず同盟の有効性は皆無であった。

このころには、ドイツ参謀本部内で、もはや勝利は望めないと考える者が出始めている。兵力から言えばソ連軍はドイツ軍の二倍〜三倍の規模になる。更に攻撃を成功させるには、守る相手に対し三倍の兵力が必要であるともいわれているにもかかわらず、である。

普通に考えて勝利は望めない。しかし、ドイツは欧州最強と言われたフランスを一カ月余りで駆逐したのに対して、ソ連はフィンランド相手に苦戦していた。電撃戦で一気に殲滅すれば勝機は十分にあると考えていた。つまりヒトラーは相手を完全に見くびっていたのだ。

もともと独ソ戦は、カイテル国防軍最高司令官、ゲーリング空軍元帥、レーダー海軍総司令官、ハルダー参謀総長が反対していた。軍部の主要メンバーで賛成した者はほとんどいなかったと言われている。

カイテルは、戦後「私はソ連との戦争を恐れた。あの戦争はヒトラーが勝手にやった。ヒトラーはソ連との戦争は避けられないと言った」と証言している。ポーランド侵攻やフランス侵攻の時もヒトラーは、軍指導者の反対を押し切り作戦を強行し圧倒的な勝利をおさめていたため、「次はソ連」となった時、誰も彼を止めることは出来なかったのだ。

一方、日本の参謀本部は、モスクワ攻防戦でのドイツ軍の敗退にショックを受けていたが、独ソ戦のイニシアチブはまだまだドイツ側にあると考えていた。

そう考えざるを得なかったと言い換えた方が良いかもしれない。

一方、既述したように、九月の陸軍省戦争経済研究所（秋丸機関）の報告では、「対ソ戦が短期で終結し直ちにソ連の生産力（労働力、ウクライナ農産物、バクー油田他）が利用可能になれば勝機を見出せるが長期戦となると交戦力は加速度的に低下し、対英米長期戦は不可能になる」と結論付けていた。事態はデータに裏付けされた秋丸機関の推測通りに推移していく。

そもそもドイツの戦争目的は何だったのか。ヒトラーは軍備と工業力に勝るソ連を相手に三方面作戦を実施していた。しかもイギリスと対峙しながらである。北方軍集団はバルト三国経由でレニングラードを目指し、中央軍集団はモスクワを目指した。そして南方軍集団はソ連最大の穀倉地帯であるウクライナのキエフを目指した。

既述したように、ヒトラーは経済的理由から南と北を優先させていた。

ヒトラーはまずウクライナのキエフ陥落を優先させたあと、十月になってモスクワ攻略のための「タイフーン作戦」を発令している。最初からモスクワ攻略戦に多くの戦力を割いていたならば、おそらくモスクワは陥落していたであろう。経済的意図と政治的意図が混在する中でドイツ軍の動きは一貫性を欠いていた。

戦争目標の曖昧さと、緒戦の大勝利に続く戦線拡大による敗北は、日本軍が行った太平洋戦争とそっくりであった。

日本軍の場合は、南のオーストラリアから北のアリューシャンまで兵站がのびていた。「戦力は根拠地から戦場への距離の二乗に反比例する」といわれる。国力が劣る上に、なるべく国境に近いところで戦闘を行わず、わざわざこちらから敵陣の奥深くに飛び込んでしまった。「飛んで火にいる夏の虫」とはこのことである。そして補給不足と劣悪な戦場に適応できず自滅の道を歩むことになる。

ドイツ軍に襲い掛かったのは冬将軍と凍傷であり、日本軍においては高温多湿のジャングルと飢餓であった。そして一九四二年末に、ドイツはスターリングラードで、日本はガダルカナルで致命的な敗北をおかし、以降は二度と勝利の女神がほほ笑むことはなかった。

シンガポール

チャーチルは、真珠湾攻撃の勃発で喜びに浸った二日後に、驚愕の報告を受けることになる。

実は、南方作戦（マレー作戦）は、真珠湾攻撃よりも、約二時間早い。十二月八日午前一時三十分、第二十五軍はイギリス領マレーの北端に奇襲上陸した。英国は上陸部隊を撃滅すべく、英国が誇る戦艦プリンス・オブ・ウェールズとレパルスを出撃させるが、十二月十日、日本の海軍航空隊はマレー沖で両戦艦を航空攻撃で撃沈させる。これは航行中の戦艦を航空機だけで撃沈した世界初の海戦となる。

チャーチルは軍令部長からこの二隻が撃沈された電話報告を受けている。事態を受け入れることの出来ないチャーチルは問い返した、「本当か。間違いないな」、「間違いありません」回答を聞いて、チャーチルは受話器を置き、茫然としたままベッドの中で身もだえした。

プリンス・オブ・ウェールズは第二次大戦没発当時「世界最強の戦艦」といわれ、チャーチルのお気に入りの戦艦でありイギリス海軍の誇りであった。八月にルーズベルト大統領を招き行われた大西洋憲章の締結も本艦艦上で行われていた。

チャーチルの回顧録では、マレー沖海戦でこの二隻を失ったことが第二次大戦で最も衝撃を受けたことだと記している。また議会に対しては、「イギリス海軍始まって以来の悲しむべき事件がおこった」と報告した。

そして翌年二月十五日には、マレー半島全域の喪失と「鉄壁の要塞」と信じられていたシンガポールが二週間で陥落してしまう。

チャーチルはこの報せを受けショックのあまり寝込んでしまったという話が残っている。自書の中でも「英国軍の歴史上最悪の惨事であり、最大の降伏」と評しており、一時は首相を辞めることも頭を過ったほどであった。

一方、日本の南方工作は大きな成果を挙げていた。

十二月二十八日、「ビルマ独立義勇軍」が宣誓式を行い、誕生を宣言した。鈴木大佐が司令官、アウンサンが副司令官となり、民衆は彼らを熱狂的に迎え入れた。

マレー工作を進めた藤原大佐は、マレー半島進撃中に投降するインド兵を取り込み、シンガポール旧競馬場のファラパークに集めた約五万人のインド兵捕虜に対して、インドの解放と独立を力強く呼びかけるのである。

欧米でのインテリジェンスについては、英米ソに翻弄され続けたが、この南方作戦における影響力工作は世界最強の英国諜報部を上回った成功事例と言える。

「謀略は誠なり」、徳義と誠心をもって対応にあたったたことが、現地人を動かす原動力になったのである。

チャーチルは「日本の真珠湾攻撃」によって、アメリカの参戦を引きだすことに成功したが、その日本によって大英帝国の牙城がこれほど短時間に失われるとは思ってもみなかった。

英国は日本軍の動きを事前に予測していた。英内閣合同情報小委員会は報告書で、日本はおそらくタイに進駐し、その後、マレーさらには石油を求めて蘭印に侵攻するだろう、とチャーチルに伝えていた。しかし戦艦プリンス・オブ・ウェールズが撃沈されシンガポールが陥落するとは思ってもみなかったのである。

日本を甘く見ていたのだ。これは、第二次大戦中にチャーチルのおかした最大の錯誤だったのである。

チャーチルは、連合国の勝利が確実になっていた一九四三年末のテヘラン会談（アメリカ、イギリス、ソ連の首脳が一堂に会した初めての会談）の時に、

「私の左側には手足を思い切り伸ばしたロシアの大熊、右側にはアメリカの大きな象がいた。二頭に挟まれ哀れな英国の小さなロバは、ただ一人正しい道を知っていた」と秘書に漏らしている。

そして、次の選挙で大敗し首相の座を追われることになる。

チャーチルは、ルーズベルトのように徹底した日本嫌いではなかった。同じ立憲君主制を採り、かつては日英同盟を結んでいたこともあり日本に対しては一定の親近感を抱いていた（勿論、アジア人蔑視が根底にあって、日本人を平気で「猿」「黄色い小人」と呼んでいた事実もある）。日本との関係が決定的に悪化したのは日中戦争によって利害対立が顕在化したことと、三国同盟を締結しヒトラーと結んでからである。特に後者はチャーチルの心証を著しく悪くした。

チャーチルは「日英同盟を破棄したのは間違いだった」と考えていたともいわれる。日本は三国同盟を破棄し、英国との関係修復によって日中戦争収束を模索するべき道もあったのかもしれない。

そして、ヒトラーである。

日本がシンガポールを攻略した時、「喜ぶと同時に悲しむべき報告を受けた」と語ったと言われる。

ヒトラーは日本がイギリスの植民地を占領したことに表面上は喝采を送ったが、日本の台頭に大変な危機感を覚えたと言われている。それは日露戦争でロシアのバルチック艦隊を日本が壊滅させた時に、同盟国のイギリスの反応に似ているかもしれない。その時ロンドンにいた孫文は、「ロンドンの町は、まるでお通夜のようであった」と語っていた。

日本とドイツは敗戦する。その過程についての詳述は避けるが、負けるべくして負けたのである。太平洋に向かわずに西に、インド洋に向かっていれば、違った展開になったはずだが、英米とソ連の国力を合算すれば日独伊の約三倍になる。ルーズベルトが容共（親ソ）の立場を堅持している以上、いずれは敗れていたであろう。また、ヒトラーが戦勝国になって欧州を支配する姿を見たい人はいないであろう。

日本も中国との和平を早期に実現させて欧州戦争については中立を貫くべきであった。

米国は戦勝国となったが、中国市場への参入という目的は、中国共産党による中華人民共和国の誕生で雲散霧消してしまった。

また、小室直樹氏によれば、真珠湾が奇襲されたことは、米国にとって、極めて大きく深い意味を持っていたことを指摘している（以下、小室直樹『日米の悲劇』〈光文社、一九九一年〉を参考に筆者コメント）。

小室氏によれば、この真珠湾攻撃によってアメリカの行動様式（エトス）が根元的に変化したという。

「侵略者に、ほしいままに侵略させておけば、侵略は、ついに、アメリカ自身にも及ぶかもしれない。だから侵略をほうっておくわけにはいかないのだ」(小室氏)

戦後の朝鮮戦争、ベトナム戦争、中東問題への干渉等々への積極的介入がそれを証明している。第一次大戦後の国際連盟に参加せず孤立主義に向かったアメリカが、国際連合においては、何かことが起こると米軍が中心になって出動する。

「アメリカは、最も攻撃されまいと思い込んでいた当の日本人に攻撃され、大艦隊と大飛行部隊とが全滅した。あり得ないことが起きたということは、もうひとつのあり得ないことも、あるいは起きるかもしれない。略……戦争は、アメリカが始めなくても、むこうからやってくることだってある。アメリカは、戦争に負けることだってある。このような感情論理によって、アメリカ人の戦争観、世界観は、革命的に変わった」(小室氏)

真珠湾によって行動様式が根本的に変化したのである。真珠湾攻撃のショックは、それくらい衝撃的な出来事であった。勿論、東西冷戦の出現によって、西側の超大国アメリカが世界情勢を無視できなくなってしまったこともあるが、アメリカの過剰な干渉の背景には、真珠湾攻撃によるトラウマがあったと思われる。

山本五十六の想像を遥かに超えたものだったのである。

次にソ連はどうであろう。

この物語では、独ソ戦を緒戦であるバルバロッサ作戦まで描いているが、ナチスが崩壊する一九四五年五月まで四年間続いた。

独ソ戦は人類史上最大の殲滅戦争と言われている。その人的被害はトータル約三千五百万人にのぼり、ソ連の致死率は十四%、ドイツは十一%であった（日本は三百十万人、致死率四%）。

日本人は、第二次大戦というと太平洋での戦いを思い浮かべ、欧州戦域ではノルマンディ上陸作戦が定番だが、ソ連からすればナチスとの闘いの九割以上を我々が引き受けたという気持ちが強い。またルーズベルト、チャーチルは、第二戦線（ノルマンディ上陸作戦）の構築が大幅に遅れた負い目もあった。従って、スターリンとしては取り分も多くて当たり前と考えたし、ルーズベルト・チャーチルもあまり文句が言えなかったのである。

多大な犠牲を払いながらもソ連は領土拡大に成功し、世界の共産化に弾みをつけた。

第二次大戦終了時点ではスターリンの一人勝ちであった。

そのスターリンは、一九五三年三月に死去する。そしてその三年後に次の最高指導者となったフルシチョフによって徹底的に批判される。「独裁者スターリンの批判」（スターリン執政時代の思想、粛清を含めた政策の批判）はソ連社会において極めて深い影を落とすことになる。

小室直樹『ソビエト帝国の崩壊』（光文社、一九八〇年）という名著があるが、この中で小室氏はスターリン批判に対する影響について「急性アノミー」（不治の病）という表現をしている。

カリスマ的指導者は絶対に否定されてはならない。もし否定されたが最後、濃硫酸をかけられた鉄のように、鉄の団結はたちまちボロボロになる。ソ連の内部崩壊はスターリン批判によって始まっていたのだ。

一方、南方作戦は日本の敗戦だけでは終わらなかった。絶対動かぬと思われた西洋植民地帝国の堅固な岩盤が動いたからである。

鈴木大佐が機関長を務めた南機関（対ビルマ工作）や藤原中佐のＦ機関は、その熱意と行動力によって現地人の人心を掌握し独立軍の創設に尽力した。

しかし、理念だけで支援を継続することは難しく、軍上層部との思惑の違いに苦しむことになる。そして、残念ながら、敗戦が濃くなるごとに現地人の期待と信頼を裏切ることになってしまう。ビルマに対しては、統治方針が心服から威圧に変わり、終戦間際には再び連合国側に寝返ってしまう結果となる。

日本は、アジア民族の中で、日本をヒエラルキーのトップに頂き家父長的な関係を構築しようとしたが上手くいかなかった。そもそも自国民すら食料を配給でしか食わしていけなかった国が他国の面倒をキチンと見ることなど出来なかったのだ。

しかし、戦後になってビルマは独立を果たし、その後のミャンマー政府は、独立に貢献した鈴木ら日本人七名に対し、国家最高の栄誉「アウンサン・タゴン（＝アウン・サンの旗）勲章」を授与している。

一方、インドに関しては、様々なトラブルがあったが、最後にインパールを一緒に戦ったことが大きい。日本軍史上最悪といわれたインパール作戦であるが、インド側から見た評価は別である。戦後、英国はインパールで戦ったインド国民軍兵士を反逆罪で処罰しようとしたが、全インドの民族的抵抗にあい、反逆罪を取り消す事態となる。そしてこの独立の流れは止めることは出来ず、インドは英国から独立してゆく。

チャンドラ・ボースは、インド独立運動の英雄として、現在もガンジーと共に高い評価を得ている。

英国の歴史家であるホプスバウ博士（英国ロンドン大学教授）は、インドの独立はチャンドラ・ボースと日本軍が共同で行ったインパール作戦によってもたらされたと評価している。

インドネシアでは、十六軍の今村大将が心服統治を行い、戦後植民地を取り戻しに来たオランダ軍相手に一緒に戦った日本兵が三千人もいた。戦後、今村がオランダ軍から裁判を受けているときに、スカルノを中心にインドネシア住民たちが助命嘆願運動を行った。今村がもし死刑判決を受けたら救出する作戦をたてていたという（今村は、オーストラリア軍事裁判で禁錮十年の有罪判決）。

一方で、解放軍として歓迎されず多くの犠牲者を出し恨みをかってしまったフィリピンの例などもあり、シンガポールの華僑虐殺という汚点もある。

解放か侵略かは、一括りに評価できるものではないであろう。

おわりに

一九二〇年代、フランスのペタン元帥と首相を務めたクレマンソーが東久邇宮稔彦王に、「アメリカは日本が、外交がへたなのをよく知っている。だから彼らは、まず外交でじりじりと締め付け、日本が戦争をはじめなければならないところまで追い詰めるだろう。だが、かっとなって戦争を始めれば、日本は必ず負けるに違いない。アメリカはそれほど強大だ。だから日本は絶対にアメリカのペースに巻き込まれてはならない」と語ったといわれるが、その後の歩みはまさにこの予言通りに進む。

日本は、グランドストラテジーの要となる外交政策を間違えてしまった。

既述したが、中西輝政氏（政治学者、歴史学者）は、日本外交の欠点を三つ挙げている（『父が子に教える昭和史』より）。

①情報力の不足
②歴史的視野の狭さ
③情緒的な国策決定

日本がおかした錯誤の原因はこの三つに凝縮されている。

情報力の不足については、特に重要な転換点であった独ソ不可侵条約の締結、独ソ戦を見抜けなかった。質の高い情報、例えば小野寺情報などが入りながら有効活用できなかった。

歴史的視野の狭さについては、ドイツの「西部大攻勢」という短期的な戦況を長期的な世界情勢と勘違いしてしまった。中西氏は「もしヨーロッパの歴史を大きな構図で見ていれば、ヒトラーの急激な台頭と凋落は予測できました。西欧の歴史の法則では、フランスやドイツ、ロシアなどの大陸国が破竹の勢いで勢力を拡げても、やがて必ずイギリスやオランダなど海洋国が巻き返す。ナポレオンしかり、ルイ十四世しかりです。この法則は、十九世紀から既に常識でしたが、当時の日本人はこうした歴史的視野を持ち得なかった」と述べている。

そして、米国に対する理解も浅かった。圧倒的な国力差は認識していたが、歴史や文化、そしてアメリカ人の気質を見抜くことが出来なかった。

情緒的な国策決定については、節目の国際連盟離脱、三国同盟締結、日米開戦において、質の高いインテリジェンスや客観的なデータは活用されず、指導者の情念や思い込み、更にはマスコミや世論の突き上げに流されてしまっていた。

外交下手だった日本も江戸時代・幕末には、ペリーの要求には簡単に屈しなかった儒役林大学頭、ハリスを唸らせた岩瀬忠震、そして明治時代、陸奥宗光や小村寿太郎が英米中の大物と対等に渡り合った。攻めどころも引き時も心得ていた。インテリジェンスにおいても明石元二郎という世界が驚愕した人物も輩出している。

日本人のＤＮＡに外交音痴が潜んでいるとは思えない。

やはり、明治から第二次大戦までの間に政府そして軍組織が極度に官僚化したことが大きいのだろう。日本は、日露戦争以降近代戦を経験していない。平時が長く続くと、実戦で必要な能力よりも、文章力や他部門と調整して予算を取ってくる、所謂お役所仕事の能力が重宝されてくる。これに加え、本編で何度か触れた「機能集団の共同体化」が縦割り組織の弊害（セクショナリズム等）を生んでいた。

更に、指導層において責任が曖昧な合議主義がとられたため、緊急事態において高い能力と統率力を発揮できるリーダーが出てこないという構造的な問題も抱えていた。

そして官僚化した軍が「統帥権」によって暴走してしまったのだ。

付け加えると、日露戦争後の大国意識と万能感が社会から謙虚さを奪ってしまったことも、それに拍車を掛けていた。

それでは、今後の日本は外交をどう進めればよいのだろうか。

戦争経験者であり、当時海軍中尉だった中曽根康弘元首相が過去に対する自戒を込めて「日本外交の四原則」を挙げている。これは、今後の日本外交の在り方を見事に示唆している。

①国力以上の対外活動をしてはいけない。
②外交はギャンブルであってはならない。
③内政と外交を混交してはならない。
④世界史の正統的な潮流から外れてはならない。

明治から昭和の時代と現代では、日本の地政学的な位置付けは変わっていない。「日本は、欧州各国、そしてロシア、アメリカ、中国の四大勢力が瀑布のようないきおいで極東におちこんでゆく結合点にあるのです」、と司馬遼太郎氏は述べているが、このことは現代も変わらず日本の立ち位置を厳しく既定している。

中国とアメリカに挟まれた日本は外交を間違うわけにはいかないのだ。

外交を間違えないためには、情報が重要である。

世界情勢が再び波乱を迎えようとしている現代において、日本は、米国からの情報に頼っているが、独自の情報ツールを持つ必要があるのではないか。

バイアスの掛かった他国の情報に依存していては、再び外交を誤るリスクがあるのではないか。日本は、先進国で唯一本格的な対外情報機関を持っていない。

戦後、平和国家として「力による現状変更」を放棄した日本にとって、インテリジェンスの強化は急務である。

そして錯誤に対しては、もう一つ重要なメッセージを織り込んだつもりである。

あの時代は、日本のみならず、ドイツもソ連も英米に至るまで、錯誤を繰り返していた。この背景には、相手に対する不理解、そして相手国の文化や歴史に対する誤解や偏見、差別があった。

そしてお互いが傲慢であったからである。

書き終えて

「真理は多面的である」という。光の当て方を変えれば、ものごとは違って見えてくる。歴史の事実は一つであるが、解釈は一つではないはずだ。その意味で私の書いたストーリーも一つの解釈でしかない。

人はどうしても、歴史の一部だけを見て、全体を理解したと錯誤してしまう傾向にある。様々な立ち位置からの情報、意見に関心を持つことをお勧めする。

その意味でも、渡辺惣樹氏の労作である一連の翻訳本（『裏切られた自由』他）は、目から鱗が落ちる思いであった。多くのアメリカ人から見ればルーズベルト大統領は第二次大戦を終結に導いた偉大な人物であった。しかし、視点を変えると別の見方が成り立つ格好の例ではないだろうか。

私が本書を書くモティベーションは、日本史と世界史を分けて論ぜず、思い切って融合し、更にそこにインテリジェンスヒストリーを加えることで、現代にフィードバック出来る様々な問題点を炙り出すことであった。

世界史から見た日本という視点については、既に故人となられた児島襄氏、半藤一利氏の書籍は大変参考になった。

そしてインテリジェンスについては、その興味のきっかけとなったのは、江崎道朗氏の『日本は誰と戦ったのか』である。本書ではこの江崎氏に加え、吉田一彦氏や岡部伸氏、山崎啓明氏などの書籍を参考にさせて頂いた。この場を借りてお礼申し上げたい。

また、今回の草稿に際し、時代を遡って、様々な書籍を読み返したが、中でも小室直樹氏の分析はいまだに鋭い光を放っている。

共同体、エトス（行動様式）など、これらを用いた斬新な分析は色褪せていない。

若い人にも是非、一読を薦めたい。

最後に、今回初めての作品であり、戸惑う部分も多い中、東京図書出版の編集部の皆様には、大変お世話になった。謝意を表したい。

【主要参考文献】

〈著者の五十音順〉

＊阿部牧郎『危機の外相　東郷茂徳』新潮社、一九九三年
＊有馬哲夫／八幡和郎／飯倉章他『日米開戦1941　最後の裏面史』宝島社、二〇二一年
＊一ノ瀬俊也『東條英機　「独裁者」を演じた男』文春新書、二〇二〇年
＊伊藤憲一『ソ連は強いものには手を出さない』ごま書房、一九八二年
＊猪瀬直樹『昭和16年夏の敗戦』中公文庫、二〇二〇年
＊宇垣纏『戦藻録』ＰＨＰ研究所、二〇一九年
＊江崎道朗『日本は誰と戦ったのか』ＫＫベストセラーズ、二〇一七年
＊江藤淳『もう一つの戦後史』講談社、一九七八年
＊生出寿『凡将山本五十六』光人社ＮＦ文庫、二〇一八年
＊大木毅『独ソ戦』岩波新書、二〇一九年
＊大木毅『日独伊三国同盟』角川新書、二〇二一年
＊大木毅『「太平洋の巨鷲」山本五十六』角川新書、二〇二一年
＊太田尚樹『尾崎秀実とゾルゲ事件』吉川弘文館、二〇一六年
＊岡崎久彦／北岡伸一／坂本多加雄『日本人の歴史観』文春新書

＊岡部伸『至誠の日本インテリジェンス』ワニブックス、二〇二二年
＊岡部伸『「諜報の神様」と呼ばれた男』ＰＨＰ研究所、二〇一四年
＊小神野真弘『アジアの人々が見た太平洋戦争』彩図社、二〇一五年
＊小野寺百合子『バルト海のほとりにて』共同通信社、一九八五年
＊勝田龍夫『重臣たちの昭和史』文春学藝ライブラリー、二〇一四年
＊加藤哲郎『ゾルゲ事件』平凡社新書、二〇一四年
＊加藤陽子『とめられなかった戦争』文春文庫、二〇一七年
＊共同通信社社会部編『沈黙のファイル』新潮社、一九九九年
＊児島襄『ヒトラーの戦い』文春文庫、一九九二年
＊小室直樹『ソビエト帝国の崩壊』光文社、一九八〇年
＊小室直樹『日米の悲劇』光文社、一九九一年
＊小室直樹／日下公人『太平洋戦争、こうすれば勝てた』講談社、一九九五年
＊源田実『風鳴り止まず』ＰＨＰ研究所、二〇二〇年
＊斎藤充功『陸軍中野学校全史』論創社、二〇二一年
＊坂本多加雄／秦郁彦／半藤一利／保阪正康『昭和史の論点』文春新書、二〇〇〇年
＊上念司『経済で読み解く日本史　大正・昭和時代』飛鳥新社、二〇一九年
＊寺崎英成『昭和天皇独白録』文春文庫、一九九五年
＊野中郁次郎／戸部良一／鎌田伸一／寺本義也／杉之尾宜生／村井友秀『戦略の本質』日経ビジネス人文庫、二〇〇八年

＊戸部良一／赤木完爾／庄司潤一郎／川島真／波多野澄雄／兼原信克／松元崇『大東亜戦争』新潮社、二〇二一年
＊戸部良一／寺本義也／鎌田伸一／杉之尾孝生／村井友秀／野中郁次郎『失敗の本質』中公文庫、一九九一年
＊長谷川熙『自壊』WAC、二〇一八年
＊秦郁彦『陰謀史観』新潮社、二〇一二年
＊秦郁彦『昭和史の軍人たち』文春学藝ライブラリー、二〇一六年
＊林千勝『日米開戦　陸軍の勝算』祥伝社新書、二〇一五年
＊半藤一利『ノモンハンの夏』文藝春秋、一九九八年
＊半藤一利／藤原正彦／中西輝政／柳田邦夫／福田和也／保阪正康他『父が子に教える昭和史』文春新書、二〇〇三年
＊半藤一利『世界史のなかの昭和史』平凡社、二〇一八年
＊半藤一利『昭和史』平凡社、二〇〇九年
＊半藤一利『[真珠湾]の日』文春文庫、二〇〇三年
＊半藤一利／保阪正康／中西輝政／戸高一成／福田和也／加藤陽子『あの戦争になぜ負けたのか』文春新書、二〇〇六年
＊半藤一利／保阪正康『昭和の名将と愚将』文春新書、二〇〇八年
＊半藤一利／加藤陽子『昭和史裁判』文春文庫、二〇一四年
＊淵田美津雄『真珠湾攻撃総隊長の回想』講談社文庫、二〇一〇年

＊保阪正康『陰謀の日本近現代史』朝日新書、二〇二一年
＊保阪正康『山本五十六の戦争』毎日新聞出版、二〇一八年
＊村田精久『石原莞爾と山本五十六　失敗の本質』文藝春秋、二〇二一年
＊牧野邦昭『経済学者たちの日米開戦』新潮選書、二〇一八年
＊孫崎享『日米開戦の正体』祥伝社文庫、二〇一九年
＊山崎雅弘『第二次世界大戦秘史』朝日新書、二〇二二年
＊山崎啓明『インテリジェンス1941』NHK出版、二〇一四年
＊吉田一彦『情報戦略の真実』PHPエディターズ・グループ、二〇二〇年
＊吉川猛夫『私は真珠湾のスパイだった』毎日ワンズ、二〇一八年
＊吉本貞昭『世界史から見た大東亜戦争』ハート出版、二〇一五年

〈おおむね出版年順〉

＊ゴードン・W・プランゲ著、千早正隆訳『トラ　トラ　トラ』並木書房、一九九一年
＊C・W・ニミッツ／E・B・ポッター著、実松譲／富永謙吾訳『ニミッツの太平洋海戦史』恒文社、一九九二年
＊ヘンリー・A・キッシンジャー著、岡崎久彦監訳『外交』日本経済新聞社、一九九六年
＊ウィンストン・チャーチル著、毎日新聞社訳『第二次大戦回顧録　抄』中公文庫、二〇〇一年
＊アンソニー・リード／デーヴィッド・フィッシャー著、根岸隆夫訳『ヒトラーとスターリン』み

すず書房、二〇〇一年
＊クリストファー・ソーン著、市川洋一訳『太平洋戦争とは何だったのか』草思社、二〇〇五年
＊ニコラス・ファレル著、柴野均訳『ムッソリーニ』白水社、二〇一一年
＊ジェフリー・ロバーツ著、松島芳彦訳『スターリンの将軍ジューコフ』白水社、二〇一三年
＊セバスチャン・ハフナー著、瀬野文教訳『ヒトラーとは何か』草思社文庫、二〇一七年
＊ジェフリー・レコード著、渡辺惣樹訳・解説『アメリカはいかにして日本を追い詰めたか』草思社、二〇一三年
＊オリバー・ストーン／ピーター・カズニック著、大田直子／鍛原多恵子／梶山あゆみ／高橋璃子／吉田三知世訳『オリバー・ストーンが語るもうひとつのアメリカ史』早川書房、二〇一五年
＊ジョン・トーランド著、毎日新聞社訳『大日本帝国の興亡』早川書房、二〇一五年
＊ハーバート・フーバー著（ジョージ・H・ナッシュ編）、渡辺惣樹訳『裏切られた自由』草思社、二〇一七年
＊ハミルトン・フィッシュ著、渡辺惣樹訳『ルーズベルトの開戦責任』草思社文庫、二〇一七年
＊ヘンリー・L・スティムソン／マックジョージ・バンディ著、中沢志保／藤田怜史訳『ヘンリー・スティムソン回顧録』国書刊行会、二〇一七年
＊ノーマン・オーラー著、須藤正美訳『ヒトラーとドラッグ』白水社、二〇一八年
＊ジョン・アール・ヘインズ／ハーヴェイ・クレア著、中西輝政監訳、山添博史／佐々木太郎／金自成訳『ヴェノナ』扶桑社、二〇一九年
＊ロバータ・ウォルステッター著、北川知子訳『パールハーバー』日経BP、二〇一九年

＊ディック・レイア著、芝瑞紀／三宅康雄／小金輝彦／飯塚久道訳『アメリカが見た山本五十六』原書房、二〇二〇年

＊オレーク・V・フレヴニューク著、石井規衛訳『スターリン』白水社、二〇二一年

【主要参考映像】

〈おおむね放映年順〉

NHK特集『日米開戦不可ナリ〜ストックホルム　小野寺大佐発至急電〜』一九八五年

NHKスペシャル『御前会議　太平洋戦争開戦はこうして決められた』一九九一年

NHKプライム10『現代史スクープドキュメント　国際スパイ・ゾルゲ』一九九一年

NHKその歴史が動いた『ヒトラー情報　日本を揺るがす　〜「真珠湾」へのもう一つの道〜』二〇〇二年

TBS『あの戦争は何だったのか　日米開戦と東条英機』二〇〇八年

NHKスペシャル『日本人はなぜ戦争へと向かったのか』二〇一〇年

BBC『いま明かされる情報戦　ヒトラーの暗号を解読せよ』二〇一二年

映画『イミテーション・ゲーム／エニグマと天才数学者の秘密』二〇一四年

NHK『日独伊三国同盟の誤算』二〇一五年

NHKザ・プロファイラー『2000万人を死に追いやった男〜スターリン〜』二〇一七年

NHKスペシャル『ノモンハン　責任なき戦い』二〇一八年

テレビ朝日「ザ・スクープSP」『真珠湾攻撃77年目の真実〜日米ソの壮絶スパイ戦争』二〇一八年

ヒストリーチャンネル『ヒトラーと禁断の麻薬戦争』二〇一九年
ＮＨＫスペシャル『開戦　太平洋戦争　日中米英　知られざる攻防』二〇二一年

石塚　康彦（いしづか　やすひこ）

1962年埼玉県生まれ。立教大学経済学部卒業後、自動車業界に勤務、退職後、近現代史を中心とした作家活動を開始する。今回は、その第一作目となる。長年にわたり、国内外、リベラル・保守を問わず、様々な書籍を猟歩し、「複眼思考」をモットーに近現代史の研究を進めている。

第二次大戦　壮大なチェス盤、錯誤の連続

ノモンハンから真珠湾

2023年４月28日　初版第１刷発行

著　　者　石塚康彦
発 行 者　中田典昭
発 行 所　東京図書出版
発行発売　株式会社 リフレ出版
〒112-0001　東京都文京区白山 5-4-1-2F
電話（03）6772-7906　FAX 0120-41-8080
印　　刷　株式会社 ブレイン

ISBN978-4-86641-618-2 C0095
Printed in Japan 2023